劉福春・李怡 主編

民國文學珍稀文獻集成

第四輯

新詩舊集影印叢編　第136冊

【柯仲平卷】

風火山（上）

上海：新興書店 1930 年 5 月出版

柯仲平 著

花木蘭文化事業有限公司

國家圖書館出版品預行編目資料

風火山（上）／柯仲平 著 -- 初版 -- 新北市：花木蘭文化事業有限

公司，2023〔民112〕

282 面；19×26 公分

（民國文學珍稀文獻集成・第四輯・新詩舊集影印叢編 第 136 冊）

ISBN 978-626-344-144-6（全套：精裝）

831.8   111021633

ISBN-978-626-344-144-6

民國文學珍稀文獻集成・第四輯・新詩舊集影印叢編（121-160 冊）
第 136 冊

風火山（上）

著　　者	柯仲平	
主　　編	劉福春、李怡	
企　　劃	四川大學中國詩歌研究院	
	四川大學大文學學派	
總 編 輯	杜潔祥	
副總編輯	楊嘉樂	
編輯主任	許郁翎	
編　　輯	張雅淋、潘玟靜　美術編輯　陳逸婷	
出　　版	花木蘭文化事業有限公司	
發 行 人	高小娟	
聯絡地址	235 新北市中和區中安街七二號十三樓	
	電話：02-2923-1455／傳真：02-2923-1452	
網　　址	http://www.huamulan.tw 信箱 service@huamulans.com	
印　　刷	普羅文化出版廣告事業	
初　　版	2023 年 3 月	
定　　價	第四輯 121-160 冊（精裝）新台幣 100,000 元　　　版權所有・請勿翻印	

風火山（上）

柯仲平 著

新興書店（上海）一九三〇年五月出版。原書三十二開。
影印所用底本版權頁缺。

風 火 山

詩 劇

柯仲平作

新興書店版

1930

風 火 山 宣 誓

寄 給 好 友 們

風火山宣誓

親愛的，親愛的，

單單是"預言的喇叭，"

該蔑視，該蔑視，

那古舊的東西！

火熱的，吹吹，火熱的，

實際行動創造你，

實際行動領導你，

你實際行動的藝術呵，藝術行動的實際，

我們血戰喇叭吹戰曲！

前進着 ——前進着 ——前進——前進……

吹吹，我們英勇的全世界的勞動階級！

奪取，——奪取——

創造新人類的第一階段是

先確立我們風火山色的國際！

風火山獻與國際！

2　　　　　　　　　　　　　　　　　　　　風　火　山

風火山獻與國際！

我獻與風火山的國際！

我獻與風火山的國際！

這偉大的獻與呵！這偉大的接受呵！

伙伴們，伙伴們！

勝利一定，一定是我們的！

我來遲了麼？我在山中打野食，

呵，我先致我們國際的敬禮！

敬禮畢，前進 —— 前進 ——

戰場中不容推諉，更不需客氣，

我們都是拿着全個生命來济的！

只有胆怯的要振起來，

對於同伴陰險的是王八狗子！

前進呵——前進 ——

我們血戰喇叭吹戰曲！

奪取 —— 奪取，伙伴們，

先確立我們風火山色的國際！

　　　　　　　　　　　　　仲　平

　　　　　　　　　　1930；5，3，夜2時。

寄給好友們

我底好友們，風火山公然就要出版了，好友們，我們應該同慶！因爲這是我們拼着寶血汗來出版的！

當然，假設二三年後我仍戰鬥而未死，我必更有更偉美的創造！當然，我們都應該如此！

全平哥，得你爲我按辦風火山，你想我是怎樣地快樂呵！我只有用我底戰火報答你！

月秋二姐，不要因你不曾創作風火山的封面畫而自恨！你在創作我一生的創作呢！

林林弟，熱忱活躍的林林弟，你敬老哥以風火山的封面畫，老哥將敬你血海似的美酒呵！

莫宗弟，你畫來的風火山封面，那泰山看日出的色調呵，你只從南兄的口中得到深感你便動手畫，而南兄也只聽過我唱風火山中二三曲，兄弟，我題她做

4 風 火 山

"聽到風火山,"用做插圖了,甚麼時候,像在北京那一次,老哥再動手弄過橋麵片給你吃!

你們兩位將成的新時代的青年畫家呵,你們都未看過風火山,(林林弟是聽我當面敍述過一次)將來你們看過了,而且唱過了,祝你們隨感創許多插圖,在二版三版的時候!我們底世界是和力創成的。

去年暑天,樓建南兄你到我處把第五幕拿去看了,你來極熱忱地對我說:"我們簡直想不到現在的一個中國人能作出這樣的作品!……"建南兄,好在他也會出版了,五毛錢一千字也沒有人要買呢!我將寄與老友閱全部。

此一去更有新的努力!新的創造!……

仲 平

1930,5,3,夜3時。

風　火　山

第一幕　打麥場

登場人

曾大娘（農村酒飯店的女主人，約三十九歲）

二姑娘（大娘的女兒，二十來歲）

老三（酒飯店裏惟一的伙計）

曾老頭（曾大娘的公公，約七十歲）

靴匠

兵匪一

農甲，乙，丙，丁

趕馬哥

小販

流浪人

農民——大羣

逃難人——羣

軍事政治工作的男女數人

佈景底輪廓：

農村中一家酒飯店，這村子恰當行人來往的半路上，在平時，因女主人招待異常，行人那怕肚子早餓了，也想趕到她家來吃午飯的。一座三間房，左，中全相通，右間隱入大半不能見。左廚房，中待客，右臥房。我們是從她後方看去的，因此可以看見店後的街道，和被兵匪燒掠過的廢墟；那廢墟後面是一大塊打麥場。麥浪碧，還剩着一片一片油菜花旺開。

太陽差不多要當頂了。

曾老頭抽着汗煙，沈默中疑慮。大姑正揀着一籃疏菜。

風 火 山

二姑娘（在臥房裏正梳頭，突然唱起一個流滇人殺過

鱷的歌來了。）

五月五呵 —— 五月五，

白娘娘　找夾夫

就恨他死鬼老法海，

小白臉本無氣骨！

——也怪你，

三脚蛤蟆無處找，

世上男兒要多少，

除了王屠戶連毛吃猪？

唉，白娘娘生兒子後壓在西湖

白娘娘比西子情重，美，勇武，

看呀，雷峯塔倒時，

太陽心中有塊碑叫"白娘湖"！

（大娘們笑了）

大舜耕田在犖山。

屈郎他行吟江畔，

歌女英不遇女英，

喊娥皇也不見娥皇——

不大愛的常糾纏，

愛愛的多在遠方，

因此一端陽，

他白馬飛號汨羅江面上。

啊二美人，呵大舜，屈郎，

大舜還是耕田好，

屈郎進工廠，浪唱四方，

二美人也好好地作個榜樣；

那末白娘娘你抽出劍來，

你多好多美呀————

隨你愛大舜，隨你愛屈郎！

　　曾大娘　　隨你愛大兵，隨你愛牛郎（笑）

　　曾老頭　　那個賣唱人的歌真好聽呀。他不

知到那兒去了。生死都難料！

　（一小會沉默）

　　大娘　孩子不管三七二十一，火燒眉毛還不知道呢！——二姑娘！小二姝！

　　二姑娘　唉呀呀，忙了一半天，梳梳頭也不得嗎？

　　大娘　(小聲)眞愛俏。

　　老頭　把她送到蘆溝去也好——兵荒馬亂的。但是蘆溝也有小股匪——年輕的姑娘！

　　大娘　一天和車夫，馬哥頭開玩笑——到處老鴉一般黑，這山望着那山高——

　　老頭　高不成，低不就，外路人也——大姑娘一去就不囘來了！——能種地帶招扶門前生意的——

　　大娘　老三這孩子倒不壞，幫着耕田又掌鍋。只是——

　　老頭　我也這麼想，能吃苦又有胆量。只不是親生的孩子心總野——

　　大娘　我那孩子在着比他小兩歲——

（老三挑着水進來）

　　老頭　囘頭決定吧。——這囘這批革命軍，像從天上掉下的。告示可眞出的好，眞大仁大義；果然那麼辦倒不壞。但是　土匪也說　替天行道　呢！我當兵那時，唉——三十年一大亂，"遍地龍蛇走馬，五羊大鬧中華"，那個算命先生比得前朝軍師諸葛亮，後朝軍師劉伯溫。這年成兵荒馬亂不就是遍地龍蛇走馬？五羊大鬧中華就是洋鬼子都來大鬧中華了——

　　大娘　人謀不如天算。孔明窮慮餓算，司馬懿洪福齊天。

　　老頭　他們前天就把那城池佔領，今天還沒有甚麼大變動？

　　老三　東村王小二遇着我，城裏派人來編農民革命軍。一會也到我們馬街來。王二那小子一天開游浪蕩的，他公然也做了一個小隊長！他說，這回第一要報仇，要殺幾個富翁出出骯髒氣。那小子真叫人不配服，習二浪蕩，他配做小隊長我真配做大隊長——

　　老頭　從前他托人來提過親，我嫌他又無田地，無田地還不要緊，會選選兒郎，不會選選田莊，那小子無手藝，不做幫工，七十二行通通不在行。這回——他該不會——報我們的仇吧？

　　老三　你老人家放心！不是我誇口，他不是

我的價錢——噫！我倒猜不透，這小子今天真有點像來攤糧的那種威風——

大娘　老娘那把小刮子（即七首）誰不知道！？叫他去看趙八大人那隻眼睛還瞎不瞎！老娘的兒子在也比他高强多了！太上奶奶頭上敢動土！？

老三　許是他吹牛，他那配做小隊長，韓娃去當兵兩年還沒爬到上士呢。

老頭　我出去看看，今天來客真太少。

大娘　二姑娘，把爺爺的拐杖拿來！

二姑娘　老三哥的脚斷了嗎？（右手拿着缸頭趣，左手提拐杖，散髮，跑出。）

老三　我來拿——

二姑娘　（一面遞拐杖 一面審着老三說 们吃過早飯了沒有？

老三　你不看着我吃嗎？

姑娘　對了，那你不看着我拿來？你多人情呀！（勝利的微笑）

大娘　你才人情呢。三哥挑水囘來又和麵。

（老頭同看他們一笑便出去了）

姑娘　我聽見了，他要作大隊長嗎？那末老

三哥，你要歪起嘴，抖起癲，讓我獨自個和麵，撓水，掌鍋臺————大隊長你要一碟滷豬頭？麻花油炸豆？我媽床下還有老存酒（指尿說），不要客氣呀，大隊長，是常來常往的癲人呢！

火娘　媽的老存酒，留着嫁你待新客。

老三．誰知劉邦坐咸陽，

朱元璋是，和尚

臨潼還有貴妃池，

貧家女嫁唐明皇。——

好漢出身低，

許明天，我就不在你家賣力氣！

你把眼睛睜大大地看着我吧　二妹子！

姑娘　你還做皇帝？

老三　仵——誰想做皇娘去呀？

姑娘　呸！

老三　我不做皇帝，我做一個農民革命軍——仵別笑，昨天城裏派下東村幾個人，還有你這般大的姑娘呢　興和氣，叫不要怕他們，他們只殺挖苦百姓的。我異願投這種革命軍　一

姑娘　你不同我們做活計？

　　老三　白出一生力，

誰也瞧不起；

掛金刀騎大馬來，

鄉黨們都不和我客氣！

　　大娘　你做皇帝來，

我還叫做老三。

——我待你怎樣，老三？

　　老三　就像我的娘！

　　姑娘　我又錯嗎？

　　老三　二妹子待我眞好！

只可惜　可惜呵，

我不是那威武的軍官，

也不是那有錢的貨郎，

也沒有房產，也沒有田莊。

　　大娘　好孩子，我們不是只有這間破瓦房？

不夠吃的幾小小份田莊！

你知道，你二妹子，唉，大孩兒在世也和你一樣！

好孩子呵，好好把我當做你底親生娘！——

　　那軍官帶走她的姊姊就不囘來了。

　　你是跟跑肚中纏。

我何嘗看起那有錢的貨郎！

做這行買賣，不會說說笑笑，

天知道，一半麵條一半清風吃不飽。

你倆可以出去創光棍。

好孩子，來來往往人，我見千打千萬，你上進，我肯拉着你？你做出些男兒漢驚人的事業，小星也好跟着月亮跑——

這亂世，街坊有的跑躲了。我是兵來兵當，將來將當，只要客人到這裏，總得使他個個笑蜜蜜。

南山那夥強盜搶了一通街，總不來動我們這裏一根草，好孩子呵，這家就像是茅山，我就是茅山毛老道，誰變戲法不請毛老道？

清水一邊淌，混水一邊流——大領子有數。——

老三——

姑娘 你要去我也敢去，你不說也有我這般大的姑娘？——我也敢誇口：

來來往往多少女客我見過，她們那配去耽槍 我信我比一個中等兵都強。我推磨，舂臼 扒爷 你不得攔我担水，我——唉喲，我也眞眞不願天天和客人膩煩！

大娘　你還會做花鞋呢。

姑娘　娘你當然比我强。唉喲，恨我不在南京城生長！那會來的那個南京女人多花巧，我得學，敢說我要比她强。

大娘　你甚麼都高。把媽媽的屁股掛在南京城，你再來投胎吧！省你像個風馬流，頭髮也不編起來。

姑娘　散着頭髮，像流浪人送的那張闊畫，美人後，孔雀張開來尾巴。　媽，你看那回那個女人美不美？我也把頭髮鉸掉？

大娘　你愛怎麼好怎麼好 —— 沒有個客人，想是那邊打着仗吧 ——

姑娘　媽，我鉸髮！

大娘　鉸髮？人家把你拿做女革命！—— 不讀書的女子鉸髮也有點不像樣 ——

姑娘　還說呢；不送人家上省讀書，人家讀過的都快逐把先生了！

大娘　好乖乖，你又忘記媽媽的苦處了？上省出洋有甚稀奇，學些不三不四的，洋氣十足，回來擺架子，甚麼也值不得做，也不會做；我眞看不得，餓

10   鳳 火 曲

匠兒子忘記鍋是鐵打的！去，弄乾淨你這一身去。唉！

（打個呵欠，叩門）

　　　百年那麼短，

　　　一天這麼長！

　　　阿奶打鞋底，

　　　一針針，一針針地來呵！——

（姑娘進房。靜寂兩分鐘。

　　　　姑娘　張哥願做我底馬，

　　　李哥願做我底牛，

　　　我想吃飯我要牛耕田，

　　　我想繡花我騎馬兒到蘇州。

　　　張哥紅花插頭上，

　　　李哥黃花暗裏帶胸傍；

　　　張哥笑的合不攏嘴來，

　　　李哥見我氣忿忿蹟開；

　　　"李哥李哥你別蹟，

　　　你來！你快來！

　　　小妹我把兩個紐子一解開，

　　　你看呀李哥！

· 風火山 ·

風　火　山　　　　　　　　　　11

李哥你的黃花我更愛！"

　　老三　張哥願做你底馬，
李哥願做你底牛，
我嗎？——咳！
紅花綠花我也不弄送，
嫌郎窮，任你奔西又奔東；
我只盜你小心肝呀去埋汇水頭，
無定河流千里一碗負心酒——
我是雇農我又是傭工，
誰給你這麼那麼地玩弄！
等我掙得幾畝田，幾隻牛，
我自己耕種，
太陽火樵紅，
我趕牛兒去打滾，你負心酒中！

　　姑娘　你是張哥是李哥？
那麼地着急，怎不去啥一口辣屎來噴我？
（出來，唱罷便立刻進去。）
　　老三　着急？我着急——

— 25 —

12　　　　　　　　　　　　　　　　　　　風　火　山

我扯‘鞭打繡球’來送你！

（大娘唱

　　大娘　好啊！唱的好──

賞你荷葉做的一頂將軍帽，

麥草牛筋草織的一件大黃袍！

（大家都笑了。一個補靴匠挑着他的家伙測門前，歇下。）

　　靴匠　怪事年年有，

不如今年多。

喂！娘兒三個真快活！

　　大娘　（反說）你今天來的這樣早呀！

　　靴匠　在鬮中算就，今天客人一定少。

　　大娘　不來好，躲着熬靴底當肥魚吃吧！

　　靴匠　枉死城邊罵攤攤，

攤子上閣個水碗，

愛來照顧的來，

不愛來的也吧；

是鬼錢飄水面上，

是人錢落碗中央；

撐得一文算一文，

反正鬼混！

　　大娘　吉利話多説。

　　靴匠　日進千金。

　　大娘　出去進來便不對勁,老三,我也到村
頭去看一看。

　　老三　請放心!打聽打聽消息。

(大娘出)

　　靴匠　餓哩郎,餓哩畢,

酸菜炒小魚,

問你吃不吃,

呵啊囉,呵啊囉

呵呵——呵——

　　老三　老歪,你知道有甚麼亂子?

　　靴匠　判官掌着生死簿,還不知道小鬼鬧
亂子?

　　老三　老歪!我們底好運到了!

　　靴匠　是的呀,十年難逢金滿斗!

　　老三　別開玩笑,農民革命軍要起來了!

　　靴匠　姓王的來,姓趙的來,

都和我們不相干;

來往客人不穿鞋,我餓飯——

醫藥望人病，

棺材望人死，

我望行客鞋快爛，

你們與那行客趕趕趕，

專專趕到你們這裏來。

　　老三　一洞天門開，

專專給你落下黃金來！

　　靴匠　我打個黃金碗兒去討飯。

　　老三　十年九空，老屁開甕！

幹也窮呢不幹還是窮，

幹幹痛快呵！

依爛為爛，

剖肴鑼鑼衝罐罐！

　　靴匠　你說怎樣幹？

　　老三　加入農民革命軍！

　　靴匠　我也去革命？

　　老三　不是你，是土地老官？

　　靴匠　革誰的命呀？革那鍋頭碗盞的？——

一年比年壞，革命革革命。

　　老三　硬肚，紅會，黑會，山裏土匪，老百

姓，——

派人來教操，通通編成革命軍，

老歪呀，東村王小二已做了小隊長！

你相信，他刁二浪蕩的，隊長他配當，你我更配當！——

從前來的那幾個青年，你沒忘記吧？

吃飯穿衣睡覺都像我們老百姓，只是講忠道理，唱起歌來才有點像讀書人。

如今果然靈驗了——

"農民要得救，自己來武裝革命"！

靴匠　東村怎麼幹？

老三　你知道，他村原有幾個大學生，不做官，回家來做老百姓，自己也種田，教鄉下的小子們。

那像我們這馬街，鐵匠兒子忘記鍋是鐵打的，一回來就擺起大架子！

東村就有他們做頭領。

靴匠　土匪也革命？那問我白白地幫他補了幾雙爛鞋子——

老三　歸根說來土匪原是各鄉村裏人，他們能學好，怕要更起勁，更能成。

16　　　　　　　　　　　　　　　　　　　　鳳　火　山

　　　靴匠　　好好好好好——革你的命去！

　　　老三　　甚麼？

　　　靴匠　　孩子得小心，別只徒一味地瞎吹亂
唱呵！你眞知道甚麼叫革命？

　　　老三　　啊你沒耳根沒記心？人家分明說：**窮
苦人**要衣穿飯吃要田耕，

　　誰不許，就殺誰，

　　誰欺負我們，誰就是我們的仇人！

　　你眞沒耳根，

　　你補爛靴爛鞋一輩子，

　　雨天不做活

　　誰給你吃喝？——

　　也是大娘好心眼，給你賒欠，又准你，天天擺個
攤攤在門前；

　　老歪你不一伙幹去呀，

　　想想你瘦骨拉筋還能活幾年！

　　　靴匠　　我是外路人，我原先不是這裏的農
民呀。

　　　老三　　總沒有耳根，人家分明說：
窮苦人——聽着——**窮苦人**！

窮苦人要衣穿飯吃要田耕。

難道定要說——

張三是得屠豬匠，

老歪是個補靴郎，

有豬要把張三橋，

有靴就給老歪補，

沒有也得頓頓給老歪

八個饅頭，一碗菜，一碗湯。

　　靴匠　哈哈——還得四兩老燒酒。

　　老三　請老歪陪‘五小姊’進養老宮去！

　　靴匠　沒事，等我也到那邊看看動靜吧。

（出去）

你想一蹄騎上追風馬，

一槍刺死一個金娃娃；

徐大漢，替死鬼；

強人的天下。

　　老三　你軟球，你無腰子，你透氣，你吹不

漲的屎胞啊——

　　（一會失望的沈默）

　　老三　男到二十五，

18　　　　　　　　　　　　　　　火　山

衣破無人補；

剖起爛船滑陡灘——

不賭二三四，

只賭么孤注：

成龍我上天，成蛇我鑽地。

二十六呀二十六，

好個二十六。

溝死溝埋，

路死插牌，

剖起爛船滑陡灘，

年青人的花花世界……

（突然跑進一個殘兵來，用盒子砲指著老三）

　　　殘兵　動？不准叫！叫了我就對不起　　把
錢通通取出來！

　　　老三　！！

　　　殘兵　快！慢就開槍！

　　　老三　今天還沒開張呢——那裏有錢你自
己看吧！

　　　殘兵　哄？

老三　——

殘兵　叫你快！

老三　倒鬼！打開那裝錢的木匣子自己拿吧！

殘兵　好好站着！(過去抓錢，裝口袋。一面偷查着，防備老三，一面很怕有人來)

殘兵　不准動！(又順手抓了幾個黑鍋錐)

喂！(要跑)五分鐘內你叫！我就只好回過頭來先打你後背！

老三　這是甚麼話！你走得只稍假裝沒有這回事就行！我有錢請朋友也要請的。放心！我決不走水！但是，這不是我的錢，請你朝天放一槍走吧！

殘兵　——

老三　我是獻工，你放槍，這家老頭子才相信被搶！

(殘兵要跑)

老三　一顆子彈幫助朋友吧！(走進殘兵前)

殘兵　——(更要跑)

老三　(更挨近)朋友！一定請你放一槍！這算是你的好情好義！

(殘兵掙扎跑，被老三拉住左手，掙不脫)

20　　　　　　　　　　　　　　　　鳳　火　山

　　　殘兵　那我就 ——幹你一槍！

　　　老三　也使得。也是交情！

　　　殘兵　快放手——你？

　　　老三　這不能！一定要放槍！一個人有槍在手還怕誰追趕？我到沒有幾屯飯吃我也得行搶！

　　　殘兵

　　　老三　唉！那末你走！快快走！一發子彈——

　　　殘兵　(極悲憤感動)朋友！我不瞞你說，我冀冀連一發子彈也沒有了！這是空槍！

　　　老三　呵！那末——？(想抓住他，會間東西來)

　　　殘兵　我說出實話來，你？我左肩受了一點傷，睡在田裏一天一夜沒吃飯了！

　　　老三　唉唉——你趕快走吧！！

　　　殘兵　謝謝你！囘頭見！

　　　老三　囘頭見！

　　(老三極同情而毫無思索地看着他出門)

　　　姑娘　老三哥(出)嚇壞我咧！的怎不把他抓着？

　　　老三　你去抓吧！他拿着槍呢！

　　　姑娘　你說謊，後來我聽他說有槍沒子彈。

　　老三　（笑）搶得我們的這點東西，還不值一
發子彈的價錢，他們的一發子彈比一條生命還貴重
呢！

　　姑娘　他走，他說，"回頭見，謝謝你"！

　　老三　你看那多麼有情有義呀！

　　姑娘　媽媽回來怎麼說？

　　老三　媽媽更大方，我照直說吧。

　　姑娘　呢？

　　老三　我從沒問你們算過工錢，就算我請
朋友吃了好嗎？'嗯'甚麼？嗯？

　　姑娘　我說笑。你真好心眼，人家把你煮吃
你願意。

　　老三　給你煮吃你還嫌棄呢。

　　姑娘　也夠買幾尺花布，一把魚牙梳，兩綹
紅頭繩了呵。

　　老三　我買了送你好嗎？

　　姑娘　幾時？

　　老三　我就要當兵去了。等我回來。

　　姑娘　真你今天很奇怪，很新鮮！

　　老三　那天也倒霉。但你從那陽光裏頭望

22　　　　　　　　　　　　　　　　　　鳳 火 山

望荷葉上滾動着的露水┄┄那天也是新鮮的呀，妹！

（補靴匠慢慢唱着歌過來）

　　　老三　記住！這件事且別說把誰！

（靴匠的歌聲　┄）

鬧兵災，鬧饑荒，

分散兄弟姐妹和爹娘。

大哥和我爹耕地，

大姐和我媽養鷄，

二哥學木匠，

我年少婆逛

婆逛婆逛，

逃難三年。他們那知我會是個補靴郎！

如今不知我爹我媽們怎樣，

我姐我哥們┄

唉，我奔東鄉又西鄉，

小鬼晴我脚指頭，（到門前）

天把我當肉包子打狗，

是苦人全丟在陰山背後！┄

　　　老三　沒人鬧天災，

鞭抽小子們，

小子們都不起來。

不是亂荒荒，

你麥逛麥逛

你好個補靴郎！

創光棍。光棍第一要硬撐，

十四五六我也跑過 三幾省，

灶門保才不出門。

　　　靴匠　你誇海口的小子呵。

　　　老三　我會殺起你看，

我是工八是農民

要田耕，起來和人家革命。

　　　靴匠　呵

　　　老三　這是一回好時機，好運氣，

求爹爹，告奶奶，

殘湯賸飯誰給你一碗？

你要搶，抓你去見官！

　　　靴匠　呀！唱的比說的好。

24　　　　　　　　　　　　　　　　　　鳳　火　山

老三　同我去吧，補靴郎！

好男兒志在四方！──

（二姑娘隱隱是掉著淚）

丁丁落丁丁

補疤落補疤，

你的衣裳你的草聯子！

靴匠　我做皇帝還要打赤脚。

老三　你的皇宮呵

土地廟也快倒塌，

土地奶奶也不再帮你看家；

土地爺爺多忍心；

他手裏分明拿着金銀錠，

今天沒行客，你去問他借分文，

他仍舊，笑哈哈──

"不行！不行！

補靴郎，你又沒有抵押品！"

呵，　受香煙的菩薩們也是貪官污吏，土豪

劣紳。──

耗子鑽牛角，

你要從那針眼裏走過，

你好命，除非你是狐狸精！

　　靴匠　够了吧？吹牛屁，口吹乾去嘣點牛尿吧。

（不整齊的一隊兵快步從門前走過。大家沈默着注視約兩三分鐘。）

　　靴匠　老三你誇口，怎麼不去呢？過去就是新來的革命軍！

　　老三　——（有些躊躇，看着二姑娘。）

　　姑娘　人家沒招兵——撇下這些誰管呢！

　　老三　——？

　　靴匠　敢嗎迎上去呀！

　　姑娘　莫聽他氣你，三哥！（向靴匠）別說這些話，沒事幹，我給你雙爛鞋子補補好不好——

　　老三　走同我進去搬一個東西！二妹子——

　　姑娘　甚麼東西？

　　老三　去吧！不要問　這東西歹的很！

（姑娘足軟，但也跟着進去了。一會靜寂。只飛着疑問的空氣。）

　　靴匠　餓老鷹想天鵝肉，

天鵝果然飛下了。

牛兒要吃草，

26　　　　　　　　　　　　　　　　　　　　　風火山

那管虎狼在山腰；

想摟抱，怎不在人前摟抱？

餓老鷹想天鵝肉，

天鵝果然飛下了。

　　　姑娘　（在房裏）：三哥你？！——

　　　靴匠　唉，不到黃河心不死——

小子張狂；

吃魚不吐刺——

小子孟浪。

（一客人忙着走過，只看了店內一眼）

　　　靴匠　靴子爛不好走吧，

肚子餓請進來呀；

（無問應。房裏的聲音：）

　　　姑娘　你　你——

　　　老三　賭一口氣吧！

（靴匠二姑娘唔唔）

　　　老三　唉——平素你又三心二意的！

　　　姑娘　我——我——

　　　老三　我不死，一定要囘來！

（靜默一忽）

　　靴匠　姸頭姸頭，

不要撒手；

有震有威——

當面賭個咒。

（稍靜）

　　老三　不跟媽媽說也不要緊……死可說不
定。誰不想打一千回勝仗也還活着呢！……拿出上山
擒猛虎的力量……你還記得從前那個流浪人講的話
嗎？……不要哭！一定！一定！我決不是負心郎——

（靜）

　　靴匠　唉喲喲，眞親熱，

難分難捨！

　　姑娘　你一定！一定……

　　靴匠　那邊喝米湯，

這邊口水淌；

不得入洞房！

我呵吹鼓手，

（老三掛着一個小包袱，大踏步地出來了；二姑娘追着他。）

　　老三　米湯？你這補靴郎，

你才沒氣骨像--碗米湯——

囘頭見！我的老朋友！

笑話是笑話，我眞愛你呢！

趙家兒子要比王家强！

妹妹！冬天吃涼水，

點點滴在心！

他們走遠了

我要趕快趕快路程。

　　姑娘　趕快趕！你放心！我要拿出我的本

領來！

（老三睖神一眼，轉身就跑了。二姑娘似失魂地站着。——

沈寂好一會。）

　　靴匠　去去去，去爲郎燒爐香，

囘頭望到郎山上：

郎呀！別囘頭，

囘頭脚軟呢！

打虎的力量，

"趙家兒子要比王家强。"

（姑娘雙手蒙着臉。又沈吟。）

靴匠　手藝七十二行，
那怕作個尿床匠。
凡事有分定，
好男不當兵。

凡事分勞定，
好男不當兵；
天下分士農工商，
鐵匠，木匠，可沒有兵匠。
姑娘　你嚼爛舌根的
十八層地獄裏還要把你爛舌根拔去！
你餓鬼不吃的！
老魔魔用狼牙棍打你！
除了我，我哥哥，我媽媽，
誰給你喝一碗湯飯呀？
土地廟也快倒了，
你還想來歇我家？
你沒一點志氣的，
唉喲喲，還說‘好男不當兵’，
你得了吧！你夠受夠夠的了吧！

30　　　　　　　　　　　　　　　　　　　　火　山

（靴匠笑）

呵！又大風又大雪，

你喊媽，媽不在，

你喊爹，黃土埋，

冷颼颼，冷的牙齒打戰小腿抖。

你還那麼高興嗎，老三哥——走？——

"老三，今天我請你喝台好酒！"

"請到那裏呀？'

"你還不知道？

此地最有名的土地樓。'

你該拔舌的呵，

你是這樣招呼好朋友？

　　　靴匠　你喜歡，我該打該罵。

拔舌倒未必，

除非你哥哥是閻王的舅子。

　　　姑媽　呸！呸！

　　　靴匠　你哥哥不是已經走到陰朝地府去

了嗎？

　　　姑媽　呸呸！你該死！

　　　靴匠　你要不生氣，

好吧，我去追你老三來還你？

　　　姑娘　　你敢去你去！

　　　靴匠　　他回來怪你呢？

　　　姑娘　　你有兩張嘴巴一隻脚。

　　　靴匠　　我有兩隻長脚一隻短脚呢。

　　　姑娘　　你四隻脚的東西！

　　　靴匠　　那末我有五隻脚，有隻不給你看見。

　　　姑娘　　你吐屎！

　　　靴匠　　好好對你說，別生氣——

真的，我走關東闖關西，

看過了多和少的把戲，

革命？革命？

革他媽的屄！　　革來革去，

官家富翁還是從前的大皇帝！

可惜我沒有力量，

把軸這些孫子們殺光！

我比別人都明白————

如今一塊錢要多少利，

多少錢才買得一碗米；

唉！小姑娘！我沒告訴你，

山 火 鳳   62

當兵？我也當過一囘革命兵，

為人家打仗，白出一身力，

歸根落腳得了甚麼呢？

受了傷，打了敗仗誰管你！

別提？燈草吊胡蘆，提不起，

命中只有三顆米，

走遍天下不滿升；

誰爭如今的天下由他爭去。

誰要我也去，

除非前夜土匪殺我媽，

錯把我媽丟進龍口裏，

這還要我媽來親自給我托夢阿。

（稍停）

唉！革命！革命！多好聽，又稀奇，

這一套把戲，唉喲——

吃屎的狗，那改得吃屎的脾氣！

明打明，就說搶個官兒發發混財倒可以！

（稍停）

不過，我真不敢昧天良，

老三呢，老三確是一個殺神一個硬漢子！

　　　真的,姑娘,老三確確是!
　　　這並非拍姑娘,拍他的馬屁——
　　　好混姑娘家碗裏喝喝,
　　　騙姑娘家的門前擺攤子。

　　　　姑娘　你像那個流浪人的腳指頭,你好會
唱呀,
　　　你不說還是假的!

　　　　靴匠　去去去,去爲郎燒一爐香,
　　　回頭到望郎山上:
　　　郎呀郎,去去去,使勁去!
　　　像去山中打大蟒,
　　　像去海底叉鱷魚;
　　　郎呀郎,去去去,
　　　使勁去,使勁去!
　　　妹在家中等着你,等着你,
　　　等着你們打勝仗的好消息!
　　　(大娘和農民四人進。)

　　　　大娘　在同誰對山歌呀?
　　　　姑娘　媽!
　　　　農甲　補靴郎,你好好唱個曲子我們聽。

靴匠　唱曲子當不了飯吃。

農乙　唱唱：——

靴匠　南山上供着觀音又供着玉皇，

求福求壽求兒的都去燒香。

咤，小男婦女們那是燒香，

逛一逛，逛一逛，

因為平素呀，

你要有偷天換日頭的本領，

你才想得個姑娘——

憑着觀音玉皇的面子正好逛光逛，

逛光逛，逛光逛。

誰知山下後來發見公母兩條蟒！

（稍停）

大家　蟒怎樣呢？

靴匠　蟒一吹氣吹倒百里秧，

一吸氣：鄉下房屋都震盪，

在家的打滾，

行路燒香的滾進蟒洞門。

鄉民從此更燒香，

恐怕是得罪了觀音得罪玉皇。

後來又後來，鄉民才知山裏頭有蟒。

（稍停·

　　　大家　知道又怎樣？

　　　靴匠　知道又怎樣？——

蟒肚裏有多和少的人命，

婦女們的首飾簪環不在數，

誰敢同蟒去拼一拼？

（稍停·

後來山下生了一夥年輕人。

有個年輕人同大家打賭——

他先去冒險，他去拼。

他去了，他去了，他果然去了，

他真有傻勁

他的渾身上下綁着小尖刀，

他左手提鈎鏈，

右手提砍斧，

他奔上那逛山的大路——

呵！霎時間，半天老晌午的太陽臉色變，

嚇煞了打賭的一羣青年！

吷吷！看呀！看呀！

白光閃閃的個人球兒飛滾去了！飛滾去了！飛滾到山間，一會兒不見！

呵呀呀！猛然聞山崩地裂！——

又一會兒一會兒呵，猛然間連聲叫喊：

"快來！快來呀！

蟒心蟒肝蟒腸全劏斳！

快來呀快快來，我們受害的人們快快來！

拿火，拿索子，拿鋤頭，拿刀斧，——

我不要那個賭品，我不要那個賭品，

大家同來吃蟒肉——

扛楳大鐵柱來把牠嘴撐開！

快！沒有鐵柱也快來！

吥！先把牠胸膛砍壞！

吥！兄弟們快來……"

分明在眼前，

豁拉拉豁拉拉山崩地裂。

他的喊聲你們大家全聽見——

  大家 這些年輕人快去了嗎？

  靴匠 他們喊着，叫着，拿的拿刀斧，拿火，

拿索子，拿鋤頭——

他們許多也是亡命徒。

（稍停）

大娘　真胆大，這些青年敢去打‘死虎’！

（大家一笑）

靴匠　虎死沒死誰得知。

公母倆，死了一隻不是還剩一隻嗎？

先死母的或許不大緊，

先死了公的呀，

村小子會費大力氣？

母大娘才真真惹不起！

（大家一笑）

大家　後來又怎樣呢？

靴匠　正去着，正去着，

你們也許都得跟着去。——

後來事問大娘家的二姑娘吧，

二姑娘，你不正等着打勝仗的消息？

農乙　與二姑娘甚麼相干，你胡扯！

大娘　唱的好吧——

姑娘　媽！——

大娘　喂——怎麼要哭要哭的？

靴匠　去去去！去爲郎燒一爐香，

叩頭到望郎山上：

郎呀郎，去去去，

　使勁去！使勁去！

像去山中殺大蟒，

像去海底叉鱷魚，

郎呀郎，去去去！

　使勁去！使勁去！

妹在家中等着你，等着你，

等着你們打勝仗的消息！

（補靴郎唱着出去了）

　姑娘　媽！你去老半天，爺爺也不來！

　大娘　爺爺總是又玩小牌去。我到曹三嫂
家走走，誰知她，不早不遲冶在那個時候生孩子。──
老三哥呢？

　姑娘　門前走過一排革命軍，他跟着人家
去了！

　大娘　啊老三──

　姑娘　他一定要去，誰也阻當不住他！

　農丙　老三那流脾氣冶好去打仗。

農甲　不要命的孩子！

（大娘走進灶傍，見錢匣子開着。）

農乙　當兵好——

大娘　老三拿着這些錢走嗎？

姑娘　沒有。這些錢我收進去了。

大娘　該拿些錢給他才是！

姑娘　給他他不要，我幫他收拾包袱，我悄悄裝了一些在裏頭。

大娘　他還說甚麼嗎？

姑娘　——

大娘　一句甚麼也沒有說？

（這時，靴匠又現在門邊。）

姑娘　他說，他說他要打勝仗，他不死，他回來——一定！

靴匠　"趙家兒子要比王家強，"

大娘　唉，好孩子！

農甲　他做個排長連長回來我們都沾光。

姑娘　你們是農民，三哥說要編成農民革命軍。三哥是人你們也是人，他說他跟人家革命你們也應該革命。

40　　　　　　　　　　　　　　　　　火　山

農乙　只要有地種，有田耕，少納粮上稅，我也革命。

農甲　東村來的說是那邊幹起＇農民革命軍＇了呵！

農乙　我們也該幹，不見城裏派人來 ——

農甲　只有鋤頭鐮刀一點不濟事。

農乙　發下快槍來就好辦啦。

農丙　唸起咒語，請過神來，槍也打不進的呵。

農甲　槍打無命之人。

農乙　隔村頭六十多里像在開火呢！

農甲　紅殺黑，黑殺紅，活像唱戲。紅進來挖地三尺，黑進來連房子也燒了。

農乙　妞他媽的屄！韓家堡一大鎮，唉！十二歲到六十歲的姑娘老婆子沒有一個不遭殃的！

農甲　這都是刼數呵，天爺爺！

農丙　赸他挑担子趕牲口還不打緊；那，唉 ——

農甲　天又犯罹網，地又犯七殺！

農乙　王財神一家子早跑光了。

農甲　你到他家地窖裏躲着也不中用。

農乙　你想去發洋財嗎?

農丙　保得自己的婆娘就算不錯了。

農乙　搗翻他祖宗三代!

農甲　有錢人跑南京,北京,上海,

出洋,逛花花世界,他奶奶!

不到天下太平不轉來!

農丙　聽得從前皇帝在的地方也兵荒

馬亂——

農甲　多死幾個人,天下又太平一陣。

寃家遇對頭,六甲不正,殺星當頂。

逞再有五穀不收,瘟疫流行,

餓的餓,打的打,死的死,搶的搶,病的病——

一陣殺氣過去才又輪到紫微星。

農乙　好好好,讓天下大亂,

放着秧田不得栽,

擢租的也不敢下鄉來!

逞稅那稅,逞捐那捐,

一畝畑上十六塊洋錢,

管你願不願，他奶奶，

你擱下鋤頭，一樣交洋錢！

　　農丙　他奶奶，擱下鋤頭一樣交洋錢！

　　農乙　本上加利，利成本，

利上又加利，

幾個牛打滾，

白白地勞苦一生！

　　大家　唉！

　　農乙　老三是個好榜樣——

該死！該死！

幹起來還有點想墻。

　　農甲　有客人來了，聽——

　　兩人外唱　——（聲漸近屋）

趕着高頭大，（馬——馬字不唱出）

四十里長街，

五十里鑽洞；

煙花有個迷人勁，

扯朵兒煙花——

　　扯朵兒煙花呀，

　　扯朵兒煙花！

風 火 山　　　　　　　　　　　　　　　　**43**

吃你羊羔美酒（酒字不唱出）

一巵來一醉；

偷你百花心，

我是路遊神；

一笑陪你三更三點五更五點淚——

　　　三更三點呀

　　　五更五點淚！

南山有仙人，

北山有妖精；

他家哥妹倆出門，

哥向北山妹向南山行；

南山北山都有迷人勁，

我願遇南山的仙人，

又願遇北山的妖精！

（唱着尾音進門。大家打哈子——‘嗄友〜〜〜嗄友〜〜〜’

‘Wu——’

　　　哥頭　曾大娘！給我‘弄’一碗米湯！

　　　大娘好　，後園還有缸黃醬！

64　　　　　　　　　　　　　　　　　　　　　鳳　火　山

（大家聽著他們的刻薄話，有的笑了。）

哥頭　黃醬燜鯉魚。請弔你後堂那尾鯉魚給我啊！大娘子——

大娘　殺隻雞'巴'做兩盤給你吃！（雞巴的'巴'，這時是動詞。）

（大家大笑了）

小販　（取下纏腰口袋）你倒霉，你把嘴削尖也不是曾大娘的價錢！

（哥頭和小販對桌坐上）

哥頭　二小姐。給我一碗茶，四兩酒！

姑娘　我媽的老黃酒你要不要？說著去弄酒。大娘切菜。

哥頭　那留下姑娘們吃好了，很合適。

小販　真是將門之子。

哥頭　她也知道，蛇有多大洞有多粗了，咂！

小販　（向農甲）你的汗煙真香，香噴噴！

（農甲裝著沒聽見。）

農乙　他簡直不知城門朝東朝西呀，他家還有幾就煙葉子.請你打一打價好嗎？

農丙　鄉裏老沒見過市面。

哥頭　只要香香屁值錢，他還會買香香屁去賣給城裏闊人吃呢！

（大家是挖苦地笑了。）

靴匠　（進來）我看你老哥們不如打赤脚走路好些——

哥頭　是不是這些天來老運亨通了？

小販　我這靴頭倒想縫一縫。

哥頭　讓魚出來吃水不好嗎？

小販　你縫一縫吧。（脫下一隻）

靴匠　好！（接過靴）

哥頭　'好'就不要縫吧。

靴匠　你囘籠的包子呵！（意思是闊人賦氣。）

小販　慢着，講好價再走，省打麻煩！

靴匠　還會給你老吃虧？多少錢一碗米不是大家知道的嗎？

（二姑娘端着菜提着酒來。他們動手吃。）

小販　先小人，後君子——啊，酒——

靴匠　隨你便得了——

小販　三個子可以吧？

（二姑娘'嗤'的笑了）

46　　　　　　　　　　　　　　　　風　火　山

　　農乙　　呵！佛爺爺臉上刮金了！

　　靴匠　　鞋底都開着口了，頭上還得補一塊

皮子才能穿呀 ——

　　小販　　多加一個，兩個吧——

　　靴匠　　你老少吃一柱麵就在裏頭。

　　小販　　(口裏銜着一塊肉) 那末，—— 你要多少

一五十子，八十子嗎？—— 拿去拿去！補得好再說！

　　靴匠　　你老不說‘先小人，後君子’？

　　農甲　　給你十四個子補吧。

　　小販　　在城裏，這麼一點，只花三四個子。

　　靴匠　　四個還買不了這麼一塊皮。

　　小販　　去，別麻煩 ——— 讓魚兒吃水就飽飽

的吃吧。

　　農乙　　(帶挑戰的口氣)

做一雙鐵鞋，

年年穿，年年穿，

死了再傳把兒孫後代！

我打赤足，

我打赤足，

我知他媽媽的祖婆！

靴匠　（攔下靴。真愁眉暗傷。但又滑稽的說）

我就捨了這樁大買賣！

農乙　真是一樁大買賣！

哥頭　二小姐，擾你家一碟鹹菜！

姑娘　呵，我拿忘了。—　（向小販）你也一樣嗎？

哥頭　同我喝着就喝下去吧——

小販　好，吃着瞧，不夠添。

農乙　你開張沒有？

靴匠　開過百囘張了，真好買賣。

哥頭　要補再添幾個吧！

小販　再添你兩個，一共七個，要補好，多就別說話！

靴匠　不添也吧！話是要說的，人有嘴！

農工　不錯。

小販　酒真不壞呢！

（靴匠出）

哥頭　酒不壞，你老哥再叫半斤，再切上一盤齒肉嗎？

　　　　小販　吃吧再說，你我還在乎那個？——

婆是你到城裏我家去，那更不在乎。

　　　　哥頭　可惜我不到，到下山珍海味少

不了。——

　　　　大娘　老汾酒一罎，

龍肝鳳胆各一碗，

還有活鮮鮮的金鈎蝦，

最美是——一隻老鼠分做十八盤！

他家廚房客廳全有火車道，

一做好，他家嫣嫣嬌嬌的少奶奶，

馬上，馬上派一個小雞

　　開着特別快車給你送出來。

〔大家哄笑〕

吃罷酒，用過餐，

他家少奶奶隔紗窗問你——

"貴客呀你酒醉了嗎？

尿罐兒，快做醒酒湯；

蜘蛛呀，快把我的金絲床搬來，

　　　　換換那天鵝絨的舖蓋。"

你酒醒，他家，少奶奶特別担心，

叫捧臭虫給你當馬騎，

你客氣，有的是蚊子給你做飛車；

你眞算得走好運，交好運；

你結識，你碰上這麼個慷慨的商人！

（大家更哄笑）

　　　農工　眞眞是慷慨的商人呵！

　　　靴匠　嗤！慷慨到不吃人心！

（小販本要發靴匠的脾氣了，但大勢如此也沒奈何。）

哥頭　味！少奶奶，

把我刮骨熬油點大燈，

我也不願醒，醒也不願掀開那天鵝絨的舖蓋

　　　販子　你再缺德？曾大娘，老雞就只有這麼

一個小雞（指二姑娘）了！

　　　大娘　生你這麼大還不能料理我的後

事嗎？

　　　哥頭　還要趕路呢。不夠？再添？

　　　販子　還有，不夠添，吃着瞧。

　　　大娘　呵，馬老板，我還忙不得問你，你媽

（馬）呢？

　　　哥頭　學嘴弄嘴，棒頭搗狗嘴。

大娘　好好問你馬呀——

哥頭　越窮越見鬼，越冷越刮風——

大娘　棒客？

哥頭　比棒客要可恨一千倍！異異打得旗子做棒客還有話可說。海盜交水手，土匪不搶哥頭，他媽的，他却是大名頂頂的軍隊！——開初還給我們些草料，伙食，後來只發草料不發伙食了。草料也實發不夠。不賭脚錢倒貼二百八！他奶奶！夜夜起來餵牲口，牲口一天比天瘦。走不起還要挨揍呢！打起仗來你得幫他送子彈，送飯——險些老命也丟了——沒辦法．我叫老五和我逃走。白送他牲口還得開小差呢！老五他不肯；本來也是好多年的血汗了。（大大滿口酒）

大娘　本來死得苦，

偏遇盜桗的。

小版　有時要錢不要命，

有時又要命不要錢——

錢呀錢，命相連，

有了你，多方便，

無了你，受熬煎，

大娘　　那邊開火怎樣?

哥頭　　比土匪軍隊還不如! 前天他們打敗仗,我乘空就往山背後的小路逃走 —— 這邊新來的軍隊好些呀?

大娘　　看來還不壞。許是初來想要一塊好招牌。

姑娘　　沒有比這邊軍隊更好的了!

哥頭　　你怎麼知道?

姑娘　　人家要派人下鄉來編'農民革命軍'。農民不是很苦嗎?農民應該伙着革命! 我家老三哥是去投奔他們了——

哥頭　　喂! 草帽底下看不出人才,二小姐你——老三真真去了嗎?我簡直——

姑娘　　誰哄你!你應該不要逃跑,等我老三哥和革命軍打過去,你作內應殺起來!

哥頭　　可惜我不是千里眼,順風耳呀。

姑娘　　說笑的,你那有那個胆量。

哥頭　　沒有?來來往往遇過多和少土匪,戰事,講起來要給你三天三夜睡不覺。

姑娘　　那是你願意的嗎? 我家老三哥是自

己願意去的呵。

　　哥顗　也是逼迫出來的吧——人也是'捧着不走拉着打倒退'，抽給屁股幾鞭'媽！生癀的！'就跑起來！

　　大娘　所以事到臨頭須放胆。人手少，我那捨得老三去。可是紅頭繩拴不住男兒漢大丈夫的氣慨了。

　　哥顗　曾大娘你要做將軍，我情願做你的馬前卒。

　　大娘　你本是趕馬的老手。勿奈如今不行娘子軍。

　　姑娘　媽，人家女學生和軍隊下鄉來呢。

　　大娘　乾掙扎，鬧新鮮，我看她們只合關在皇宮裏，高樓大廈中做少奶奶。多識幾個狗脚雞，會唱唱洋歌吧了。

　　哥顗　人家也算能幹呀。

　　大娘　在家千日好，出門時時難。眞的，能出出門也就算不錯。

　　姑娘　只是鄉下苦，想起他們吃不慣。

　　小販　能吃苦中苦，方爲人上人。他們不要

做人上人嗎？

　　　鞋匠　咋！多少人上人倒沒吃過苦中苦。

　　　大娘　要是有了娘子軍，我也——

　　　鞋匠　呵呀———大伙人——好像圍著一
個瘋子來！

　　（大家擁到門前）

　　　許多外面的聲音　到曾大娘家去呀！

　　　農乙　喂！那不是——到過我們村裏來唱
曲子的人嗎？

　　　許多回聲　是呀！那個賣唱人！

　　（七八個農民和幾個小孩子擁著一個流浪人）

　　　許多聲音　曾大娘家去——裝着錢的隨便
給，沒有錢的他不要——只要三個火燒呀——

　　（門內人閃開，一部分人擁進來。）

　　　姑娘　媽媽！啊！唱曲子的先生你來了！

　　　大娘　把中央那兩張棹子搬開！先生！好久
不見了！

　　（搬棹桌子）

　　　流浪人　我不說'回頭見'嗎？我愛見你們！

　　　許多聲音　跳着彈着唱呀！

84　　　　　　　　　　　　　　　　　　　　　鳳　火　山

　　　流浪人　姑娘，你還記得那些曲子嗎？

（姑娘因老三一走，一時增加許多了解曲子的力量）

　　　姑娘　歌呵寞！歌呵寞！

　　　流浪人　你唱唱看！

（流浪人彈琴和姑娘，也隨處和唱。）

　　　姑娘　歌呵寞！歌呵寞！

浪子出門，多好年代不還家！

浪子不還家——

媽媽哭淚多，眼昏花，

一年年，媽媽望白了頭髮。

"我的兒子他決不會忘記我，

我是怎樣怎樣的纔把他養大！

浪子呵，你爹爹出門死在遠方，

天又荒，兵匪到處搶掠；

你媽媽自己下田耕種還不夠吃，

你媽媽幫人家織布紡紗，

你媽媽——

　　好容易才把你養大！

浪子呀，你爹爹出門死在遠方，

　　　　你十來年還不還家！"

咳！咳！——

媽媽！媽媽！媽媽！

年年青蛙叫：

歌歌寡！歌歌寡！歌歌寡！

　　　幾個青年　咳！媽媽！媽媽——

　　　姑娘和流浪人　歌歌寡！歌歌寡！

我勸家裏那年青的女人改嫁；

我是流浪人，

天下為家，

啊！久沒音書

不知她可曾改嫁！

　　　哥頭　城頭女人很便易，

人生來是一個醋罈子，

醋罈子是不能沒有醋的呀！

（哈哈哈哈……——大家全笑了）

　　　流浪人　我流驚，我愛上了兩個女人——

實說是一個。

　　　大家　她的姓名呢？她在那裏？

　　　流浪人　她在沙漠上，

她在海中央，

58　　　　　　　　　　　　　　　　　　　山 火 鳳

在近，在遠，在飯裏，在火裏——

只要人還有眼睛，

人還能夠看見人——

她是光明，是苦人們喊叫的聲音，

是强壯，是美是愛……

就說是再好也沒有的模型。

呵　　不知甚麼叫模型？

你們打糕餅，用模型，

瓦窰裏做瓦做盆，用模型，

我愛的這個女人呀，她便是

一切光明，一切苦人兒的喊聲，

親愛的，美的，强壯的模型。

她是誰？她是誰？

她的名字叫做‘愛’——

愛工人！

愛農民！

（稍停）

你們也愛這個女人嗎？

（有的答‘愛’，有的答喜歡，有的莫名其妙。）

她是愛工人，愛農民，

誰糟踏工人農民，她就和他們拼命。

你們愛她喜歡她，

她被誰糟踏，你們也願帮她拼死命？

　　一部分　願！

　　農乙　唱個'五月五'啊！那囘你來恰在端陽
節，今年端陽也快到了呢。

　　大家　好！'五月五。'

　　姑娘　那我還記得呀！先生！

　　大家　你和着唱——

　　姑娘　唱第二首？

　　流浪人　好。

（農民隨處和唱着）

　　合唱　五月五呵五月五，

世上有三家豪富，

本來他們也和我們一樣窮。

有個五月五呵五月五——

他三人，各各抱出一個甕，

遍山遍野找蜈蚣，找蝎子，找長虫，……

一個甕找一百種；

找夠了百種，密密地用五色絲線把甕口封；

68   山 火 蟲

掏來家裏背靜處，

賭咒，磕頭，上供 ——

長虫，蝎子，蜈蚣，

這種吃那種，

那種吃這種，

吃到七七四十九天後，

只剩有最後的一種毒虫還活在甕中：

最後的這種毒虫就是叫做蠱。

開了甕，又賭咒 ——

"蠱呵！我底蠱！

從今你我生命在一處，

你生我便生！

你死我便死！

夜夜你飛出，

我要你歸來 —— 記好好的呵我底蠱：

我喊"猪～～猪～～猪～～"

這樣你就快歸來！

為甚麼不喊你'蠱～～蠱～～'

這樣喊，人家會疑心，

喊猪好，人家多養猪 ——

風 火 山　　　　　　　　　　59

蠱呵！我底蠱！

從今你我生命在一處！”

呵！伝晚間，蠱飛來飛去在不很高的天上，

像火箭，一條忽亮忽不亮的紅光。

專吃兒女們的眼，

專吃兒女們的心，

吃男的拉金，

吃女的拉銀。

廊簷前，要担心，

大家在院垻玩玩還不打緊。

一泡金銀屎呵，一個小姓娃的性命！

啊！這麼養蠱，養上幾年三家成豪富。

（稍停）

那時人們那敢惹豪富！

只一家媽媽她有兩個兒，

一個先被蠱吃死，

媽媽死火起，

媽媽砍來長竹杆一隻，

杆尖上拴她的一塊遮羞布。

有夜蠱飛來，

她狠狠地，一竹杆刷去刷死一條蠱！

呵荷！那一個財主好好的忽然死了！

養蠱是不能告訴別人的，

那怕就是親骨肉。

蠱也有個怪脾氣，

吃不着別人的小兒，

也得吃自家的孩子……

有家是吃了她兒媳的孩子，她兒媳還不知，

兒媳只見她發財，她佟夜喊猪，她房裏的那個大

　　甕倒是很可疑。

一夜兒媳給她煑下一碗合包蛋，

兒媳本心傷，

乘她去拉屎，就打開了那甕口蓋

把熱滾滾的一碗倒進甕裏去！

呵荷！一會兒，

見她全身都是凉漿泡，

她巳死在糞坑裏。──

好痛快！又除了一害！

後來養蠱的只剩一家。

誰不愛生命？

見他有錢有勢也無法，

官家又愛錢，

你告他，他不怕。

啊！隨後是家家受害人都氣急了——

一家喊叫十家起，

十家喊叫百家起，

百家千家都恨煞，

聯合起來去，去！去！

才把那最末一家養蠱的來千刀萬剮！

千刀萬剮！

受害人聯合起來的勝利呵！

　　　大家　受害人聯合起來的勝利呵！

　　　流浪人　那是陰曆的五月，

陽曆的五月呀，

窮苦人，受害的戰爭還更多！

五月花總是那樣的鮮紅呀！

（稍停）

82　　　　　　　　　　　　　　　　　　　　　　山　火　風

兄弟們！爲了我們農人的痛苦，我們也願意拼死
命？

　　許多回音　願！情願――

　　二三人　那能成！唱唱來好聽！

　　農乙　小子！說不定就在眼前呢！

　　二三人　那末現眼現報！

　　許多聲音　到你們家去胡鬧呀！

（流浪人彈著一唱）

　　流浪人　東一村，西一村，

南一村，北一村，

你們猜，你們想――

中國土地這麼廣，

二十幾省一共多少村？

　　許多回音　那就很多很多了！

　　一二人　數都數不清呵。

　　流浪人　這裏一座城，

那裏一座城，

你們也想想――

中國一共多少城？

是城多過村呀，

是村多過城？

　　許多回音　是村多過城。

　　農乙　一個城　週圍不是有很多很多的村
子嗎？

　　流浪人　沒有糧食活不成！

城裏糧食全靠誰？

　　一部分　靠鄉村！靠鄉村！

　　又一部分　靠我們農民！靠我們農民！

　　流浪人　城裏有官吏，有軍隊，

也有大地主，大商人，

另外是些小販子，教員，學生，

叫化子，做活的工人們──

　　三五聲音　鄉下也有這班人！

　　流浪人　從官吏商人到工人們

像一鍋雜會；

我們鄉村多有一美味──

就是，幾萬萬苦菜葉熬過的農民！

　　大家　憤憤的笑了！　啊啊！我們是苦菜葉熬過
的農民！

　　流浪人　把我們鄉下人劏碎，

64　　　　　　　　　　　　　　　　　鳳 火 山

　　隨便怎樣加些嚼料怎樣吃，

　吃喝着，那肥頭大耳的富翁很歡心！

　　　許多聲音　他媽的屁！他歡心！

　　　流浪人　除開你們呀，

　最苦的是那些人？

　　　一部分　叫化子！

　　　又一部分　工人！

　　　流浪人　呵呵！工廠裏的工人，

　鐵路上的工人，

　買賣行的學徒，洋車夫——

　趕騾趕馬的——一切工人！一切工人！

　　　靴匠（大叫）　還有做小手藝的工人呢！

　　　流浪人　是的！還有小手藝——

　同是賣血汗的可憐人！

　你看工廠出來的貨物很便易，

　因此餓死了多少多少的小手藝；

　但那工廠裏的工人並沒有發財，

　是一樣的可憐呀——

　原因就是我們通通沒有本錢去謀生！

　發財單靠賣賣力氣成不成？——

許多囘晉　那不成！那不成！

流浪人　呵呵！眞眞！那不成！——

最好是積得幾個本錢先做小買賣？

小販（突然大聲）　是呀！那是眞眞的！差不哩

多少次要我的命，我才湊和湊和上這麼一點小成本。

我原來也是工人呀！

靴匠（大聲）　你現在也很夠歪了！

許多笑聲

流浪人　有一點點兒小成本的，

還能同你們親近；

一成了大商，

那只會在洋樓裏面調着口味吃你們！

怎麼你們不殺上前去呀？

農乙　蛇無頭不行，土匪也還要個好頭領，

隔這村一百三十里地那是王家村；王家村，前不

久，來有幾個靑年人——那是鼓吹造反的，

誰知是那個沒天良的農民去告訴鄉薑，還是鄉

薑自家知道呢——

呵！靑年人得一點風聲都溜光了，

末了是官廳派兵來，白殺了好些個農民！

山　火　風　　　　　　　　　　　　　　　80

內中還白殺掉鄉下的兩個高等小學生！

　　流浪人　要是聯合起我們工人農民，

聯合起所有的窮光棍，

還聯合那些真真情願做工人做農人的先生學生，

　　這樣打起來，

　　他們死一個，

　　我們那怕死五十，死一百！

　　不是嗎？我們知道得————

　　多少個鄉村多少個城

　　多少個官吏富豪多少個賣苦力的人。

　　二三人　賣苦力的不是一個心！

　　流浪人　啊！你們說的都是真情實話呵！

人，最多還是可憐人殺可憐人————

　　比如地主家養着那些當差的。

　　比如亂搶老百姓的土匪，兵————

　　但是兵，原來不也是百姓？

　　三四人　是王八不成！也是娘生老子養的唔！

　　流浪人　為甚麼要去當兵？

二三　有的是在本鄉鬧亂子，逃跑出去吧，不來……

又二三　有的因為地少不夠吃。

又二三　有的簡直因為躲債，因為無田耕。

一二　有的因為受了兵欺負。

又一二　嘿！有些是要做官發財去！

又一　也有是為爭風吃醋去的呵！

又一　噯！韓娃是怎麼去的？他家本沒幾個錢，那是因為土匪糊他爹，他說當兵有槍好報仇。

又一　歸根劈底是為難過活！

姑娘　另外就沒有了嗎？我家老三哥去當兵是為革命！農民革命軍呢！

四五　老三幾時去的呀？

姑娘　就是今天晌午才跟着革命軍去的！

四五　怎麼不見招兵的？

一　我也聽說東村上有革命軍了。

姑娘　他自己跑去的，沒有招兵。

流浪人　老三眞眞是好漢一條！你們呢？最好是一面耕田種地，

68　　　　　　　　　　　　　　　　　　　鳳 火 山

有起事來呀，一聲喊叫——

有槍的拿槍，

有刀的拿刀，

一聲喊叫殺出去！……

軍隊呵，只管吃百姓，

不管百姓受了受不了。

你們原來是農民，

你們又做農民革命軍，

這種力量更雄大！更能成！

　　　許多聲音　城裏新來的革命軍好不好呀？

　　　流浪人　你們看看就知道。

最大，最要緊，

還是所有農人工人聯合起來的力量呵！

軍隊一時很要用你們，

要你們相信，他們就說愛農人，愛工人，

愛所有受窮受囤的老百姓，

打伙起全是為的老百姓；

過些時候他們一成功，一得勢，

沒有準，有的軍頭變心了，——

他那還問你甚麼工人農人！

最大最要緊，

還是所有工人農人聯合起來的力量呵！

如果那些革命的都願做工人農民，

有福同享，有禍同擋，

這才不容易變心。

　　二三　他們還是假的革命軍？

　　流浪人　他們比從前駐扎過這裏的軍隊好

些嗎？

　　一二　看起來是要好些。

　　流浪人　我們說過了——

兵也原是可憐人。

兵的現在更可憐。

殺敵人那比得快刀切麵呵！

兵，有一飩，無一飩，

衝鋒，對壘，

大雨來，戰壕水淋淋。

喊聲殺，那管大風大雪三伏天。

兵現在有說不完的可憐！

他們原來不也就是窮百姓？

唉！只要能夠不管軍頭變心不變心，

70　　　　　　　　　　　　　　　山 火 鳳

他們永遠地愛着農人工人，

他們不要鬧升官，鬧發財，

大家一塊很親愛，很親愛，

親愛到幾千千萬萬條牛力都分不開。

這樣一來甚麼困難都好辦。

　　許多同聲　是呀！這樣一來甚麼都好辦！

　　一人　外國人比中國人齊心，看看從前瞽
來瞽往的那些傳教士呵！

　　又一　是的：那些混眼王八比咱們齊心！

　　又一　啊啊，"耶穌愛我，我愛耶穌。"

　　農乙　誰叫你愛貪圖小便宜！

　　又一　病要死，總得請他來躱着禱告，至親
骨肉都不准在病人傍邊呵！

　　另一　不請他來，死了他就不答應。

　　又一　他奶奶！不知拍去了多少人的眼睛！

　　農丙　見鬼　　見鬼呀：

那家兒子姑娘要新婚，

頭一晚俊呀，新娘一定得去和那敎士睡，

那一夜他給新娘吃下幾顆小丸藥，

呱！吃了丸藥就不知羞醜，

　　任你多貞潔，多規矩，

　　不用調戲不用逗，

　　那姑娘像喝了一種淫風憸皮的**迷魂酒，**

　　心裏癢，肉發騷，

　　一會兒自己就把衣裳褲子脫掉了——

　　　　許多聲音　夠了！夠了！妞他敎士的祖

先呵！

　　又一　中國傳敎士還不是有一樣幹的嗎！

　　　　許多聲音　造他妹妹！

　　另一　有下鄉來算命的，在黑房子裏頭，摟

著郭女人'摸仙骨'的呀！

　　　　二三　一樣丟人的把戲！

　　　　許多聲音　够了够了！家醜不可外言，妞他

們的祖先呵！

　　　　流浪人　够了！眞够够的了！

　　妞他們的**媽媽！**

　　造他們的**爸爸！**

　　我們不及洋人的——

　　就是我們如今沒有發明家，

　　開初爲我們耕田種地造手車的那就是我們的發

72　　　　　　　　　　　　　　　　　　　　　火　山

明家呵！

　　後代人不爭氣，

　　迷信鬼，迷信敎士——

　　你們相信嗎？

　　將來我們會有更高明的大大發明家——

　　他造出耕田的機器一架，

　　只要個農夫去招扶機器，

　　每天就能耕地千來里。

　　這是眞眞會有的：

　　比如你們打水，用那水車就比手提多便利。

　　將來我們各種各樣都用好機器，

　　一架機器抵過幾千多人力。

　　洋人也有好有壞，

　　洋人也有愛我們，和我們一樣窮苦的，

　　愛我們的洋人也算得我們的好兄弟，

　　我們要和這些好兄弟去打倒壞洋人！

　　　　農工　‘打倒帝國主義？’

　　　　流浪人　是——打倒帝國主義！

　　　　全體　打倒帝國主義！

　　　　流浪人　我們的發明家萬歲！

四五　我們的發明家萬歲！

農甲　那樣神通廣大的發明家肯幫窮人幹嗎？

流浪人　一定會幫的。不幫就要殺他們！

將來的人是齊巴一樣，貧富不分。

那最好最好的發明家呵，

就是我們自己的兄弟，自己的兒孫。

你們都喜歡這種發明家嗎？

全體　那是活菩薩，我們的神靈，我們的救星呵！

（流浪人突然咬牙，凝望四方。）

流浪人　咳呀呀！呀呀！

你全世界的科學家！藝術家！

你們聽見了嗎？聽見了嗎？

這樣，這樣叫斷肝腸的喊聲呀！

那個，那一個科學家藝術家敢不為着農人工人可憐人，

要兒的狗命！扎！要兒的狗命！

你們不能做工人農人！

至少該得為工人農人！

你們以爲你們先知先覺？

吠！那樣‘折白’的先知先覺越多，

餓的死的可憐人越多！

你頭領：你狗娘養的大小頭領！

你不真真爲工人農人，

終有一天——吼！

要你們狗命！

要兒的狗命！

（大家轉頭探望又靜看着他）

　　許多聲音　在對着那些人罵呀？

　　流浪人　對着全世界那些死無良心的狗

東西！

　　全體　吠！要兒的狗命！

　　　　要兒的狗命！

（靜默一小會）

　　流浪人　不穿衣能過寒冬？（二姑娘和唱）

看，如今是那些人家住山洞！

雷公公給人打下斧子來？

啊啊！神仙叫那牛頭馬面來給人耕種！

有人講，那邊高山路傍有堆墳，

是誰三天三夜沒飯吃，不能走動，死在山中，

行人路過要給墳投石，

不投石的回家肚子痛——

是的呵，人不能單靠喝風。

人不能單靠喝風，

因此世界有工農，

人類根本的根本是勞動。

我們受壓迫，受欺弄，受餓受窮，

我們是農工，

我們是人類根本的根本——勞動！

根本的根本呵，

受壓迫，受欺弄，受餓受窮！

火！我們是火！

我在火中，你在火中，他在火中，

我們大家又在冰山中。

世界像冰山，

76　　　　　　　　　　　　　　　　　　　　　風　火　山

世界也像塊荒田，

我們撒火種，

連合起來！親愛的兄弟姐妹們！

爏爐爏爐爐——

爏爐爏爐爐——

吹——

吹——

我們是火是火呵，遍撒火種——

火種開火花，

火爆冰山崩，

冰山化銀水，

火花開在銀水中；

銀水本是苦人們的血和淚——

我們大慈大悲的火花呀，

像打鐵，像鍊鋼，

由我們開天闢地，

由我們——重新造人類，

　　造親愛的人類！

唱呀！幹呀！

時光不早了

　　我們是農工，

　　我們是人類底根本勞動，

　　我們不應該受欺負，受餓，受窮！

　　　許多聲音　我們是農工，

我們是人類底根本勞動，

我們不應該受欺負，受餓，受窮！

這時老三突然來站在大門坎上，大家未注意到他；他發話時，大家纔向他驚看。

　　　　老三　不同伙幹的應該一輩子受餓受窮！

　　　差不多是全體　老三！老三！

　　　姑娘　怎麼你去又來呀？

　　　老三　我趕上幾里，恰遇下鄉來組織農民革命軍的幾個讀書人，幾個兵，還有兩個女革命呢！

　　回頭　啊！他們！來呀！先到這裏來！

　　（有幾人湧到門口張望）

　　　農甲　打甚麼悶雷？

　　　農乙　悶雷？是狂風暴雨來了！

　　　大娘　二姑娘！多多打些麵來做給他們吃！

　　　姑娘　慢一會，看看吧！

外面的聲音　叫所有的農民全出來！農民出來呵！

老三（在街心走着喊）　我們農民翻身的時候到了——好漢子們全出來！他們是我們一伙的呀！好漢子們全出來——

流浪人　去！去！

我們叫大家到對面那塊打麥塲去！

大家　去！到打麥塲去！到打麥塲去！——

（外面雜亂的喊叫‘去！去！到打麥塲去！……’‘出來！農民全出來……’）

歌聲　我們是農工，

我們是人類底根本勞動，

我們不應該受欺負，受餓，受窮，

●●●●●●●●●●●●●●●●●●●●●●●●●●●●●

（屋裏只剩着大娘，二姑娘，哥頭，小販。門前呆着補靴郎。）

外一　喂！甚麼啦？

外二　是逃難來的吧？

派下鄉的一個靑年現在門前　快！快出來！

（一個逃難人差不多走近門了）

靑年　你們怎麼來的？

　　　　逃難人　這方兵敗了！我們逃難城裏去，呵！不是我耳朵響，聽！那不是大炮響嗎？

　　　　青年　那隔不遠了——

　　　　逃難人　兵敗如山崩，恐怕一會就要殺到這村來——

　　　（門前現着一個下鄉來的女兵）

　　　　女兵　至少隔這村還有五六十里。趕快集合！

　　　　青年　往打麥場跑：集合！集合！……

　　　　哥頭　眞熱鬧！

　　　　小販　眞害怕！快回家吧！

　　　　哥頭　我家還遠呢！

　　　　小販　那末回頭見！

　　　　哥頭　先交接你家少奶奶一聲呀，我就來的。

　　　（媜俩好笑。小販不回頭地跑了）

　　　　哥頭（囘錢）　我還要睡他家少奶奶的金絲床去呢！叫……

　　　　姑娘　呵呵！逃難的呀！

　　　（此時許多逃難人走過。婦人有背兒的，肘掛包袱的，提小籃于

80　　　　　　　　　　　　　　　風　火　山

的……男子們挑著，背著，拿著很笨重的東西。孩子們哭的也有——他們都看一看店內。）

　　　哥頭　我也看看他們去！（跑出）

（遠遠處，打麥場上人越來越多。）

　　　老頭　（進）這麼亂呀？老三——？

　　　姑姑　快要天翻地覆，爺爺你還不知道——

　　　老頭　我在打小牌呢。老三這孩子叫過去叫過來

　　　大娘　這孩子天今顯出本領來了！

　　　姑娘　媽——

　　　大娘　甚麼？

　　　老頭　我不怕，我老了，我去看他們在鬧甚麼！

（出。屋內靜寂一會。常聽得打麥場上的喊聲。）

　　　老三　（跑進）出來的很多很多，只有幾家屍屍嶽帶去不去的。吃砍頭利的王家把門緊關著，有人叫說燒他房子呢，我勸他們不要忙……

　　　大娘　你還同他們走嗎？

　　　老三　他們願意我留在鄉下和農人們攪在一塊；他們說，這比我去當兵的功勞大得多。也說不

風 火 山　　　　　　　　　　　　81

定伙着他們走——我去!他們在叫我了!二妹子——
你好同媽媽在家!我一定——（轉身）

　　大娘　老三!你二妹——

　　老三　二妹子! 你把今天你我事原原本本
告訴媽媽吧!我走了!我一定——

　　　（跑出）

　　大娘　甚麼事呀,二姑娘?

　　姑娘　——

　　大娘　兵來把我們衝散呢! 你看那些逃難
的,告訴媽媽

　　姑娘　——

　　大娘　甚麼不能說給媽媽 ? 媽媽只爲兒
女好!

　　姑娘　他——老三哥——媽,你猜也猜得
着——

　　大娘　呵呵（笑了 去打麵來,快快做飯給老
三他們吃 給我二姑娘的——老三是我我二姑娘
　的——

　　姑娘　（不好意思極,大叫）媽!你——（跑進屋去。）

　　大娘　你知道我說老三是我二姑娘的甚

麼呀？

（笑着弄鍋灶）

靴匠　（伸個困腰）唉

（兩個孩子到門前）

大孩　補靴郎，草包！你不去呀？

小孩　大家都去，我大一點也要去呢！

大孩　尿屎虫！尿屎虫！

小孩　尿屎虫！尿屎虫——

（鬧着，兩個都向打麥場去了。）

大娘　耶！這些個孩子！

靴匠　（憤起）

去！去呵！我也去！尿屎虫也去！

你們是火嗎，

我是煤油，

火上加油！

（走

不幹就不幹，

幹起來！要

痛痛快快的幹一番——

我不為甚麼，

只為肚子餓；

孩兒們！你笑我？

老子是依爛為爛，

孩兒！你們的將來！你們————

（漸漸聽不清他憤起的歌聲了。稍靜一會，突然全體高叫起來。）

　　全體　農人萬歲！

工人萬歲！

勞動兵萬歲！

．．．．．．．．．．．

（在狂熱的蕩漾中，幕漸漸落下。）

第二幕　冒火線

出場人：

兵甲

兵乙

兵丙

兵丁

上士

排長

其他進塞的四個人和排長岔子潭

老鄉

流氓

流浪人

農甲

農乙

農婦

小販婦

泥水匠

少年

青年甲

青年乙

（以上十一人是宵火線遊戰壕的）

耿妓

衞弁甲

衞弁乙

衞弁丙

衞弁丁

勤務民

佈景：

　　是革命軍孤軍深入，突將一座大城佔領，友軍又屢受挫折，不能救援，所以敵軍反攻過來，將大城重重圍困，從那四月麥棄青，圍到麥子也快黃熟時還未能破城。攻不破，預備久圍，所以戰壕都挖的很寬，很講究，交通很方便。一片片的麥地和青草，像受過火災的樣子，因為他們怕革命軍從草麥叢中來襲擊。——這一段戰壕，恰是較為突出的一段。壕左，壕右全可交通。

　　幕開時，太陽還未落山呢。

　　圍城的兵們總覺太無聊——幕開了一會，全不言語。

　　是兵乙破嗓沈寂——

風 火 山   85

兵乙 （彈着舌頭學號聲）

毒絲啦　毒絲啦

毒絲啦啦啦啦啦

啦哩啦　哩哩啦

哩啅膿機膿膿啦

············

·······

兵内　哩膿啦　—

知他媽

哩啅膿

知他媽

軸媽他媽他他媽

他　媽　—

（突高叫）

噘！他妹妹，他媽的姑娘啊！

兵乙　那鬼雜種的槍手倒不錯——

88　　　　　　　　　　　　　　　　　　風　火　山

毒啦啦　毒啦啦——

兵丙　你再把帽子高高撐起來——

兵甲　才吃飽飯，安靜一會吧！

兵丙　他再能打個窟窿，那他是百步穿

楊了。

(兵乙用槍尖撐起帽子來，在壕邊一上一下的。)

兵乙　他怎麼不開槍呀？

兵丙　許被我打中了？

兵乙　沒有的事，他多詭詐——

兵甲　放下來吧！

兵乙　又沒有紙煙抽。

兵丙　我願老天　老天你快黑！

兵乙　天黑真難受！

兵丙　別叫天黑真難受，

今晚天黑呀——

老天你快黑，

弟子許你個豬頭！

兵乙　哦！我明白了，我明白了。(放下槍和帽)

兵丙　教場埧的靶子啊，你支(知)我矢(識)。

兵乙　上海是個肥料坑，大家有糞(份)

風 火 山 87

兵丙　想妹想到七月七，
哥是牛郎妹織女，
鵲橋會，鵲橋會！

今佼哥愛黃昏到五更，
太陽偏偏把住黑夜門；
牛兒牛兒快吃燒心草，
你在太陽頂上撒泡尿，
太陽好爲我架起虹橋，
虹橋會，虹橋會！
白日不老總心燒！
兵乙　虹橋會，虹橋會，
太陽不老總心燒！
兵丙　張公騎駿馬，
飛走月林下；
張公射天狗——
天狗吃月芽。

尤根愛月佼，
月佼美嬌娘；

88 　　　　　　　　　　　　　　風　火　山

是這般大白日青天，

咱兩人怎好躺在南橋上！

抽支箭兒射太陽，

咱兩人才好躺在南橋上——

南橋下——

稿玲光，精玲光；

南橋上

姑愛郎，姑愛郎。

噯喲喲——

南橋下呵——

玲玲瑯，玲玲瑯，

南橋上

美愛娘，美愛娘！

兵丁打着口哨從壕左過來：

　　　兵丙　有香烟嗎？

　　　兵丁　有美愛娘，美愛娘——

　　　兵丙　這時候，這時候，

敵人給我根烟抽抽，

我當他是我的好朋友。

風 火 山 _____ 29

　　　兵丁　這時候，朋友給你根香煙抽抽？

　　　兵乙　這時候，朋友給他根香煙抽抽。

他說是揩油。

　　　兵丙　人生誰個不揩油！

（由左奔來的歌聲漸近。

"⋯⋯⋯⋯⋯⋯

"抬望眼，

仰天長嘯，

壯懷激烈；

三十功名塵與土，

八千里路雲和月；

莫等閒，白了少年頭，

空悲切！"

（排長帶着兩個兵和兩個逃難人逃子彈來）

　　　兵乙　有香煙嗎，排長？

　　　排長　那來的香煙？

　　　兵丙　也沒有燒酒，

也沒有香煙，

人生只有女人了——

　　　排長　人生還有子彈呢。

— 107 —

兵丙　（推沒有聽見）

也沒有燒酒，

也沒有香煙，

人生只有女人了。——

女人到處有，

到處女人都怕羞；

你天仙，你娼妓呀，

你不怕羞——

呵！要輪流！輪流！

　　排長　（從袋裏掏出一個小盒子）

來：就有這麼幾個煙泡子，省着燒！

（兵乙接過）

　　兵丁　啊！守夜的救命王菩薩！

　　排長　支不住才燒吧。王上士，你多留心！

我還有事去。

　　兵丙　你放心！

（排長帶着送子彈的下）

　　兵丙　啊！太陽要落山，草都有點女人的香

味了！

　　兵乙　你看那朵雲　　那朵雲像一個女人

在流水邊躺着——

兵丙　女人原是流水呵——

兵乙　那流水已經像一個男人。

兵丙　像我呢像你?

兵乙　像我也像你。

兵丙　那末你我都有福氣了。

兵丁　又變過了,現在像——

兵乙　像?

兵丁　像一堆乾柴。

兵丙　那女人也變了,變像一堆火。

兵乙　那麼乾柴兒火了。

（都人笑因平素他們都叫兵丙'乾柴見火'）

兵丙　看!這逼那朵雲像可憐虫!

（都笑着,平素都叫兵丁'可都虫'）

兵乙　眞可憐得可以!

兵丁　你們那樣子更可憐呢!

兵丙　那末人生誰個不可憐!

兵丁　（向兵甲）老大哥你可憐不可憐?

兵甲　可憐虫是瀾柿花。

大家　（笑）呀!老大哥也會說笑話呢!

哈哈……

兵丁　石頭人（兵甲的諢名）也下山來嫖姑娘了！

兵甲　別說話！——前面！

（大家靜靜，聽望前方好一會。）

難民　（遠處）是逃難的呀！老總爺！——

側壕放起七八響。

難民　別開槍！別開槍！——我們是逃難來的呀！是逃難的呀

兵甲　是逃難的？

兵乙　是便衣隊吧？開槍，他媽討死的！

（時聞難民喊聲）

兵丙　好像還有女人呢！

兵丁　那是美人計。

兵乙　開槍嗎？

兵甲　你們幾個瞄着，我檢查，有點可疑就開槍。

兵乙　不要上當，那囘他們不是滲雜在難民裏來嗎？

難民　（漸近）救命！救救命！我們是逃難的

老百姓呀——

　　　兵甲　你們好描準——

　　　兵丙　好！許有兩塊肥肉呢——

救命聲更近了）

　　　兵乙　老哥小心些！

（有彎着腰走的，有爬着來的。

　　　兵甲　喂！你們聽着—— 各人舉起兩隻手，十個指頭全打開——准你們，快快地過來！一個字一個字地叫出　兩隻手高高舉起來——

　　　兵乙　那個人真笨 ——

　　　兵丁　尿都嚇淌了。

逃難羣奔到城邊

　　　兵甲　不准手放下！

　　　兵乙　誰放下？放下就吃一顆衞生丸！

　　　兵甲　通通望着城牆那方面跪下！好！你們描準——

　　　逃難羣　啊！大叫 使不得！使不得——

　　　兵乙　故意開玩笑 描準！

　　　逃難羣　逃難的呀 ——

　　　流氓　我把衣裳褲子脫光 來看 好不好！？

94　　　　　　　　　　　　　　　　　山　火　鳳

天呀！

　　　兵甲　（上壕檢查）別害怕！我檢查！

　　　老鄉　老鄉！聽你講話咱們是老鄉呢！

　　　兵乙　嘿！老鄉？平常跟你們家討碗涼水喝

喝行嗎？

　　　老鄉　咱不是那路人！如今窮了，交朋友也

不在乎那些個！

　　　兵乙　嘿！（笑）你看多不在乎呀——

　　　兵甲　只要你們沒有帶着炸彈手槍，‧危險

東西，就可以。

　　　農甲　那是老總爺使喚的，我們只要活命

回去種莊家——

　　　兵甲　（問老鄉）你這包是甚？

　　　老鄉　一塊燒餅呀！

　　　兵丙　你們從城裏來，城裏黨人是共人

財物婆娘的，你們的銀錢財物婆娘都給他們共了吧？

哈哈！倒有個鬼頭！

　　　流氓　那裏！其實他們的大洋錢，他們的女

人還是他們自己的！

　　　兵丙　你的老婆怎麼樣？

流氓　別開那個玩笑吧！

兵乙　我在瞄準呢。

流氓　倒是眞的，我有個妌頭，前久入了他們的婦女協進會——

兵甲　你們先下戰壕去。（兵甲下壕）

農甲　沒有事了嗎？請先生總爺放我們囘——

兵丁　等不得粥起皮？

兵甲　不行！要團長的命令。就放你們去也去不了，後方都紮有隊伍的。

兵乙　讓他們去嘛，討死的，一聲口號答不出就通通歸一了！

兵丙　（對流氓）快下來吧！咱們聽你那個妌頭。

流氓　（下壕）好，自然要告你個完全啦。

難民三四　不放我們，我們一點東西也沒吃，餓好些天了！

兵乙　有甚麼法想呢。

兵甲　你們不有帶着饅頭燒餅的嗎，同伙吃——

老鄉　我的只夠我——

（說着，要下壕。槍聲，老鄉應聲朴下壕去了。）

兵乙　這回就飽飽的再也不要吃了！

（難民連下壕）

兵甲　（檢視老鄉）沿中後腦袋。——帮着拖

過去吧 （同伙拖尸）壕溝又窄——

兵乙　你們怕甚麼——

兵甲　看着，我去問排長。　走

兵乙　這是家常便飯。

兵丙　家常便飯　——他媽的，當兵人——

喂，你說你的姘頭呀！

兵乙　老二，你這乾柴見火　　呵呵！那個

妓女，那個唱曲姑娘今晚輪到——

兵丁　嚇！別妄想！聽說旅長已經看見她，

今晚就要想個法兒叫過去也　——

兵丙　吼！那是我，我們這排人找來，搶來

的，旅長不有幾個太太嗎？他媽，是約好的　，咱們

輪流——

流氓　你們才是公妻呢　——

兵丙　呎！

兵乙　真是我們誰的妻子誰敢動？

兵丁　想都不敢想。

兵乙　桃園結義，保皇嫂——

兵丙　我愛你那姘頭呀　（指流氓

兵丁　你又沒見過。

兵乙　乾柴沒見火也會著嗎？

兵丙　喂！我愛你那姘頭呀！

流氓　你愛，我就把她送給你也不要緊，可是——

兵乙　可是天下的女人他都想愛呵。

兵丙　說：我要謝謝你。'可是'甚麼？

流氓　我那姘頭又聽人家說革命，她也就尾隨人家胡子叫革命，她加入婦女協進會就把我革掉了！

兵乙　女革命家呀！（笑）

兵丙　革掉你！你甘心嗎？

流氓　甚麼婦女協進會，簡直就是另外的一種婊子館！我不甘心？甘心不甘心！他們一味說我反革命。他們也罵你們反革命，你們是帝國主義，是軍閥，是資本家的走狗。滿街都貼着打倒你們的口號。——

　　　　兵乙　革他娘的命！我們不也是革命嗎？

　　　　流浪人　革命是一個天大的美人，

男兒抱着她總要丟精；

大家都不肯丟精，

說有革命誰相信；

革命是一個天大的美人。

　　　　兵乙　喂！你還唱得好聽呢！

　　　　流浪人　革命是一個天大的美人，

她能呼風喚雨遣天兵，

牠那邊又不是天兵，

牠那來的革命！

　　　　兵丙　只要是美人，那管他革命不革命。

　　　　兵乙　你說呀——

　　　　流氓　最可恨，那婦女會就是婦女們都集

合在一塊堆，給那般甚麼總司令關在一伙玩。我真氣

極了，我那姘頭——

　　　　兵丙　老哥們！聽見嗎？快往上爬呵！哈哈！

　　　　流氓　我裝做逃難的老百姓，混着逃出來，

願同你們去把他們殺個乾凈！

兵乙　看你這樣子，本領真不小！（笑）

流氓　誰裝假？守城的一個排官和我很有交情，我可以幫你們去運動他，他又可以運動別的人。這樣，你們一個月攻不開，我包一夜裏就攻開了。攻開了也可以到婦女協會逛逛——

兵丙　倒不錯，去逛逛——你要把你那妞頭揹給我看啊。

兵乙　我們幾囘總攻擊都失敗了，有這囘妞頭革命怎樣——

（排長和兵甲從壕右過來）

排長　王發祥你說的甚麼？這囘總攻擊令還沒下呢。（視查避難人）就是他們嗎？

兵甲　是。

排長　（像宣佈的口氣）司令部早下命令，照舊辦理！精壯的男子派去挖戰壕，送子彈，婦女到後方做輕省的難務。

（抽出一本日記簿）

排長　你是幹甚麼的？

農甲　西鄉裏抖莊家的。（指農婦）她是我的老婆子。

100 　　　　　　　　　　　　　　　　　鳳　火　山

農乙　　我也是——(吃椿)

兵丁　　你也是他老婆子？(笑)

排長　　多嘴！莊家漢？

(農乙點點頭，

排長　　你？

泥水匠　　泥水匠。

排長　　好極了，下雨天我們正要泥水匠呢

泥水匠　　鄉

排長　　那？

泥水匠　　不，我有——

排長　　說！給你活命，你還——

泥水匠　　——

排長　　你？

婦人與米商同時答　　做小買賣的。

排長　　不是夫婦？

婦人　　我丈夫早當兵死了！

排長　　呵——那你逃出來幹嗎？冒火線，多

危險。

婦人　　城裏一個多月沒有生火了，我來投

奔兄弟家。我丈夫是槍打死的，我也同樣論死不比餓

死麼？

排長　待兩天保你平安地過去好了。城裏
人怎樣過活？

婦人　城裏天天派粮餉，可是有錢人家更
驚慌。有錢人怕死。窮人每天跑去曠地找野菜，野菜
賣把有錢人是很得價的。野菜捨吞吃也沒有多少了
──那天飛機落下一個炸彈來，打死個折菜的小孩
我也在場呢！

排長　沒有打壞衙門嗎？

婦人　打壞一兩處，聽說也打傷了幾個公
事人。

排長　城裏還有多少軍隊，粮食？

婦人　──？

流氓　我知道的。沒有多少了。連日從民家
搜的很不少，下來有──

排長　你趕嗎的？

兵丙　他是妍頭革命把他革跑出來的。

兵甲　你真愛妍頭。

流氓　別見笑，妍頭不妍頭都不要緊。
我恨極城裏那伙王八旦！排長！你要介紹我去見你

102　　　　　　　　　　　　　　風火山

們的總司令，我準有法子破城——那兒守兵多，那兒守兵少，那兒難攻，那兒易破，那兒該用炸藥埋地雷，那兒該怎樣，該怎樣，我通通明白，通通能夠計劃。而且城頭上還有我一個很有交情的朋友。

　　兵丙　他誇海口賣狠牙，他為姘頭——

　　兵丁　讓他賣下去。

　　排長　說下去！

　　流氓　誰誇海口？我就不說罷。你們攻打二月不是白日鬧事的嗎？

　　排長　把你計劃完全說來聽一聽！

　　流氓　自然要說嘍。沒有你們事不成。啊。

　　排長　別囉嗦！

　　流氓　這種事應該密秘些！你們保得了這多人中沒有一兩個是城裏派來的暗探？

　　（排長猜疑地看一看那幾人）

　　排長　誰是暗探？馬上要腦袋！——好，待會同我去說吧——

　　流氓　事體須得這麼辦。

　　兵丙　那兒是嘴，

風　火　山　　　　　　　　　　　　　105

　　那兒是肚臍眼，

　　那兒是一道陰溝，

　　你通通知道——

　　只我看你那樣兒，那調調兒

　　是一個十足的滑頭！

　　（兵們笑）

　　　　流氓　別寃人！排長你說是不是？

　　　　排長　——

　　　　兵乙向兵丙　要是他一人，他會打着胭脂

抹着粉來呢！（笑）

　　　　排長　你？

　　　　流浪人　空氣。

　　　　排長　甚麼？

　　　　流浪人　我敲着青年們的心，

　　我說，開門呀！多情的男女啊！

　　門不開，男的摸着女的奶奶笑。

　　突然，我在他們中央一聲'我來了！'

　　他們跳多高，問我何處來，

　　我指着那女兒的奶奶——

　　（笑

排長　我倒要問你，你是怎麼長大的？

流浪人　自然自然嘍！

排長 ——？唷？

流浪人　我媽媽把我丟在荒山，

獅子老虎天天來給我吃飯，

我十一二歲還同野獸一塊玩——

十三歲的頭一晚我作怪夢，

夢我騎着獅子去擒龍，

龍咬我一口，

我痛，我驚醒，

醒來我在兩隻脚的人羣中。

人羣生活靠勞動。

怎樣長大的，

我靠喝風？

那時我背告訴獅子和老虎，

我說我們一同走到人間來，

他們說，人間多悲哀，

　　　　　　朋友不親愛，

　　　　　　好好一個地球分做十八塊！

我是夢中夢？

呵！那咬傷我的蟊龍————

夢醒一切化成風！

　　　兵甲　你！排長問你平常怎樣過活的！

　　　流浪人　我左手當兵右手賣苦力，

我兩脚是百姓，屄叉是皇帝，

我用全人類的生活去生活。

　　　排長　你瘋了嗎？

　　　流浪人　瘋人也沒有罪惡。

　　　排長　這些地方只有槍砲和刺刀！也幸你
們運氣好，從這裏經過，別處就拿你們打靶了。要知
道子彈是不會給誰客氣的。————你的名字？

　　　流浪人　浪底浪

底底浪

浪底浪底浪

（大家笑）

　　　排長　……？

兵乙　啊！這人簡直就不是人，活似一

抱琴！

流氓　真奇怪，一路來，他也瘋頭瘋腦地

在唱！

兵甲　你懂得嗎，你的名字？

流浪人　他們也叫我做流浪人。

兵甲　流浪人？

流浪人　名字本沒有是非——

神農初叫米作土，

伏羲偏叫火作水；

人叫我做鬼，

也不遭天雷。

排長　這倒越唱越有味了。

兵丙　當得一碗酒喝呀！

流浪人　槍得槍死，

浪得浪死，

這個年頭，

誰想長壽？

把生活當各色酒，

酒錢不化一個大，

我又喝下你們一杯新酒了——

酒家呵酒家，

誰以生命換新酒，

請把我生命留下！——

那門前是長川的戰馬。

  兵乙　常有這麼一個人和我們在，倒可以
醒醒瞌睡。

  兵丙　今晚那個唱曲姑娘輪到我們這
裏來，

我們多一個唱曲的伙伴；

呀　看！

太陽也快落西山！

  兵乙向兵丁　他也有一點瘋氣呢！

  流浪人　誰也不要買門票，

情願的請來曠野；

呵　看！

那個姑娘多風騷！

  兵丙　你幾時見過她嗎？

  流浪人　你們不說是今夜？

情願都請來曠野，

誰也不要買門票，

呵！那個姑娘真風騷！

我歌戰爭姑娘唱和平，

戰爭喊出太陽，

和平挽住月亮，

請他們出來對質——

誰借誰的光？

有動力才看見時間，

物體也都是動力的表現；

動力又從何處來？

哈哈……

一切善變，

善變是永遠，

永遠誰得見？

因此一對質，

月亮星星們笑紅了太陽的容顏。

因此，因此——

和平到人間，

和平在一切。

現在是黃昏也是暗夜，

從帝王到奴隸，

總司令到下等兵，

娼妓烏龜屁癆賊，

人類！

現在我唱三花臉，

你，你唱誰？

　　　兵內　　我？我唱長板坡前趙子龍。

　　　流浪人　　你？

　　　兵乙　　我唱———我唱黃忠。

　　　流浪人　　你？

　　　兵丁　　我唱我。

　　　流浪人　　你就是個兵。

　　　兵丁　　我就是八十三萬人馬下江南！

（大家笑）

　　　流氓　　排長！辦我們的要緊事去吧！

　　　排長　　呵———

　　　兵內　　（有意罵流氓）娼妓烏龜屁癆賊！

　　　流氓　　（望兵內一眼，見他很粗雄，不敢作聲，

　　排長　倒開起同樂大會來了。注意着敵
還不夠吃虧了嗎?不提防不提防人家又衝過來一
一一 你這小孩子也膽大,你出來往那兒去!

　　少年　找親戚!在城裏餓飯啦!

　　排長　讀過幾年書?

　　少年　高小剛畢業。

　　排長　路上很危險,你願當個勤務兵嗎

　　少年　只要有事做,有飯吃,全可以。

　　排長　好 待會跟着我去。只是——你不
壞吧?

　　少年　我又沒有槍 我怎麼會學壞呢?

　　排長　笑 哩 有槍才會學壞嗎?

　　少年　沒有槍 壞也壞不到那裏。

　　排長　這小孩眞聰明 口齒又伶俐 當勤
兵滿好。只是—— 自言自語 危險-- 好 待會跟我
　　作呢?

　　青年甲　在城裏餓飯　也是出來投奔親
朋友的

　　青年乙　我也和他一樣。

　　排長　看你兩個 —— 當過兵?

青年甲　從前在學校裏上過操。

排長　願在這裏當兵?做書記也好,我們很少書記。

青年甲　前路不通 —— 只要得官長介紹,麼通可以。

青年乙　書記我很情願。

排長　那末,你們既可以當兵做書記,爲甚不在城裏做事情?

青年乙　沒有熟人介紹。

青年甲　不是他們黨人他們不放心。

排長　我看你們是別有來意吧?

青年甲　誰肯把生命當玩耍呵 ——

排長　只要有熟人介紹,那你們不就在那做事了嗎?那不同伙他們來打我們?嘿!王上士,我 —— 綁起他們兩個來?

兵甲　——?

青年乙　查出我們有甚麼夕意,請馬上斃!

青年甲　在城裏是餓死,出來,我們都是死生,隨官長怎樣辦我都甘心!

排長　那當然不客氣，那怕隨便槍斃了你們，誰敢來問我賠命？兩軍陣前。你們鞋子裏藏着甚麼？

青年甲乙　沒有甚麼（脫鞋交與檢查）

排長　全搜查過了嗎？

兵甲　全搜查過了。不放心可以再來一回。

排長　你兩人有點驚慌，沒夕意爲甚麼驚慌呢？

青年甲　我們從沒有上過火線！

青年乙　從前學校裏考試，我分明沒有夾帶，在第一場我也很心慌。

排長　你們說說----那邊軍隊是革命的呀還是這一邊？你先說（問甲）

青年甲　這邊我們說不出。那邊倒不見得是革命。

排長　（向乙）你？

青年乙　他是革命的？是呀，他不該給我們餓死了！

排長　老實說，在我甚麼都可以隨便，只有命令是要絕對服從的。這是一種命令要盤問你們，不是我。聽說——城裏的青年都是他們的黨員，你們怎麼不是呢？

　　　青年甲　請問問他們幾位吧！怎麼都會是他們一黨呢？

　　　青年乙　說起來，從前我在過你們這一邊。我——我沒有工作吧了。

　　　排長　（問兵們）你們看——我相信不過這兩人。

　　　青年乙　唉！老實說，說出來丟醜！我老婆就是那頂頂大名的富貴雲，她在婦女協進會大出風頭，那濫貨！她和我離婚！你們想，堂堂男子，我怎樣再能留在城裏！——

　　　兵丙　又一個奶頭革命？

　　　兵乙　有個女人跟我革一革也好！

　　（笑）

　　　兵丁　打進城逛嬲子去者！

　　　排長　黨人頭上又沒有刻字。你們都跟着我去吧！

　　　（到這時，兩個婦人和農甲都攣着塲牆疲困地蹲睡着。太陽只見餘暈了。）

114 風 火 山

沉眠　快發落他們，我和你好去商量呢！

兵們　起來起來（搞罨她們）

婦人　唉～～～唉～～～脚麻！脚麻！～～

兵甲　去那邊找口水喝喝就好了。

排長　跟着走！（起身）

兵丙　給我們留下這個浪底浪好嗎？

兵乙丁　好！

兵丙　排長，請你許可留下這個人！（要挾的

口氣）

排長　爲甚麼？

兵丙　給我們唱曲。

兵丁　也好醒醒瞌睡。

排長　我看他有些瘋了，怕壞事！

兵丁　不怕，槍在我們的手裏。

兵丙　那末我不打衝鋒的時候，我就要打

瞌睡了！

排長　可要仔細些！走！

（流浪人也跟着走）

兵丙　嘅！你沒聽見嗎，唱曲的老哥？

排長　准你和他們在一塊。

風 火 山　　　　　　　　　　　　115

（除流浪人排長和難民由壕右走。一會沈默。）

　　　兵丙　請！唱曲的老哥——呵！請教！

　　　流浪人　姓流名浪外號人。

　　　兵丙　（數指頭）姓'流'，名'浪'外號'人'——流
浪人。流浪人？

　　　流浪人　攀著指頭數星星，一點都不錯。

　　　兵乙　和我們一塊有趣吧？

　　　流浪人　地獄和天堂，

在他都一樣。

他從牢中提出來，

點過名，賞酒飯，

最後一滴酒喝乾，最後，

最後一米飯也舐光了，

他滿不在乎，可是

他狠心地擊碎了那酒飯碗，

呵！那怕是人間最後的一餐！

　　　兵丁　你說的是誰呀？

　　　流浪人　從盤古到人類滅亡，

我說的是他，是他——

　　　兵丙　人最多活一百年。

　　　流氓人　自從他變來變去變成個野獸，

野獸前脚變成兩隻手，

他頭在歐洲，

　胸在亞洲，

右腿灣過印度洋，

左腿伸過南美洲，

南北極頂擱着他的兩隻手，

天空呀，天空是他的老婆，

他的情妹是地球，他抱着地球。

風！風呵，他呼吸，

江海——他心情奔流，

一切可見不可見的瘋狂運動呵——

他的一隻大曲正合奏；

聽曲人——草木鳥獸星星們

一切全是他的好朋友。

他不只活一百年，

他自然地活到永遠，永遠，

永遠變力的轉變，

他是力，

他是轉變，

風　火　山　　　　　　　　　　　　　　　　　　119

　　　他是永遠！

　　　　　兵丙　　他是神仙——

　　　　　兵乙　　你可不是神仙？

　　　　　流浪人　　單講你或我，

許只有今夜，

多則明天；

料不定，眼前！

（稍停）

聽——

（靜）

誰在喊叫痛——？

　　　　　兵乙　　火線上，夜來常有的事呀！

　　　　　流浪人　　聽——

左方是一個男兒受傷？

右方——

阿——

好像是强姦！

（靜默，聽。）

那不是？——

　　　　　兵丙　　呸！

138　　　　　　　　　　　　　　　　鳳　火　山

（兵乙點起烟捲）

　　兵丙　妹！我去看看！（想，欲走出去。）

　　兵乙　不是那個妓女吧？聽——

　　男子聲　你不從？親親熱熱地叫你‘大姐呀！大嫂呀！’你這不識人敬的——你要從，火線上，誰敢不容你！

　　婦人聲　殺了我——我也不願從——叫人家知道——唉（哭聲）是一死，橫豎是一死——你——

　　兵丙　不是那姑娘——

　　男子聲　多祕密，誰知道呢？——知道吧，我和你就算是永久夫妻——

　　婦人聲　打過仗你還曉得誰喲！

　　男子聲　我賭咒——賭咒——

　　婦人聲　菩薩有靈，我也不會到這步田地了！

　　男子聲　你不相信，那做露水夫妻不更甜蜜有趣嗎？

　　婦人聲　殺——殺了我吧！

　　男子聲　殺？殺就殺——

　　流浪人　嗱！——

兵乙　這是戰場上黑夜裏常有的事呵 ——

婦人聲　你不說殺嗎？

男子聲　呀！誰搶得！我的美人兒！我的少
奶奶！

．．．．．．．．．．．．．．．．．．

兵丙　嘿！誰搶得呀我的美人兒，少奶奶
——他媽的！要不是那唱曲姑娘就要來——

兵丁　打手虫也可以過癮，他媽的！

流浪人　天呵，人性橫流的天呵，

去救了她吧——

救了她——

她後來想起要暗地裏罵我。

（靜一忽）

兵丁　沒有聲響，是殺了吧？

兵丙　是；是禿頭肉刀子殺了呵—— 我們
的時候也該輪到了，老張還不把唱曲的妓女送過來
——量我走走，敵人也不會就——

兵丁　去吧！大家有份。〔兵丙從左去〕我該發
一排子彈我會發兩排。

兵乙　他們是雀籠中的班鳩，土罐罐裏的

120　　　　　　　　　　　　　　　　　　風　火　山

王八。他們還有幾粒子彈呢 ──

　　　　兵丁　可不能輕視他們的衝鋒楞勁呵。

（從壕裏歌唱。女聲是男子學弄的 ──）

　　　女聲　正二月裏棠花開，

小郎哥呀你幾時才轉來？

好些個來往行客都怪喜歡我，

我的小郎哥呀，你別說 ──

我是路柳牆花隨人採；

爲郎，我是太公隱坐釣魚台。

（兵丁打口唷）

　　　　男聲　哥轉來，哥轉來，

石榴開花哥轉來！

妹愛吃潼關的醬菜，

呵西洋來的水紅襪子妹更愛；

哥的小情妹呀，哥那是，負心郎，

哥轉來，哥轉來，

骨頭打鼓，魂也要轉來！

（幾處口唷一齊起）

　　　　女聲　郎呀我的郎，

走路要往大路走，

　　大路人來往，

　　小路多賊寇！

　　郎呀我的郎，

　　還有一片話兒要郎緊緊記心頭——

　　　　江南婊子會灌迷魂湯，

　　　　吃郎醋的會弄毒藥酒，

　　　　她們會將絲線拴郎魂，

　　　　甜言蜜語多撩騷，多會俏，

　　　　心裏嗎總是一把殺人刀：

　　　　郎別上了當——

　　　　石榴花兒香，

　　　　妹到望郎山上去望郎，

　　　　郎呀郎，莫上當！莫上當！

　　（口嗨四五起）

　　夜夜裏，夜夜裏，

　　小妹朦着郎的手巾叫郎三聲才睡覺，

　　郎得半月一封書信給妹捎！

　　吃郎醋的有個已到黃龍山上當草寇，

　　他那天來把妹綁走，

122　　　　　　　　　　　　　　　　鳳　火　山

呀，我的小郎哥呀！

他要妹死倒可以，

要妹丟臉可眞不能夠！

但是我的郎哥你該來復仇；

你嫌你手裏無槍你當兵去吧，

爲復仇，爲復仇，

你也可以去那白雲山上當草寇——

（突有另一女聲接唱）

　　另一女聲　劉三姐呀，劉三姐，

不是外人，別怕羞——

我也才送郎過那山頭。

呵！不報情人仇的眞丟醜！

穿件濫衣裳，

裝做鄉老頭，

去那山岔路口賣米湯，

賣餅，最好還要賣燒酒，

就在你那筐子裏頭藏把砍柴刀，

那一天，仇人他口渴，他肚餓，

他經過那山岔路口呀，

他吃着喝着，

那末你劉三姐的情郎，

你不必使甚麼毒藥酒，

他正吃正喝，

你順手就

　　抽出刀來砍斷那賊頭！

（滿野連着打口哨，狂情的讚和。）

　　　男聲　我的情妹呵

如今我眞不想走，

最丟人是情人不先報情仇！

我當先殺了那綁妹的草寇！

　　　女聲　你該走了我的好情哥！

他那敢下山綁我，

走呵 —— 走，

偸着來送你的行，

一會我媽媽叫我，叫不應，

又‘呀！這個風騷流，

　　又去偸着躱着找野漢！

　　呀呀呀……

　　丟着家裏事不管，

　　小琴小琴！’地叫我了！

124   風 火 山

　　　走吧走吧！我的情哥呀，走，

　　　話總說不夠！

（又滿野連聲口哨，口哨後，一切又都靜待著下周的歌聲。但靜

寂好一會，仍是靜寂。）

　　　流浪人　一朵花兒有雌雄，

無箭總是一張白了弓；

男兒學唱女人歌———

性交的一種！

（只兵乙打個口哨）

　　　兵丁　你唱的總不大好懂！

　　　流浪人　人與人總多隔膜，

我在用音樂與詩歌將人類的隔膜打通，

呵！歌來人不懂，

　　　歌成一陣耳邊風。

呵——

（遠處歌妓歌聲起，歌向這壕來。）

　　　歌妓　他就那樣瘋？

他就那麼個形容？

呵！呵！

夢！我的夢，

兩年半失蹤——

　　　兵乙　是他們來了！

　　　歌妓　比陰山背後難行走

月怎不當頭？

佛爺下地獄，

我們照戰溝，

戰溝比過地獄難行走——

（流浪人驚覺地收縮做一團，突然忘其所以的唱出——

　　　流浪人　呵！只要夢裏人當頭，

陰山都不難行走！——

（又突然驚覺地默着）

　　　歌妓　呵！三個年頭，

相逢在陰山背後？

（流浪人震起）

　　　流浪人　曼佛列特闖天宮，

浮士德入水牢去，

但丁下地獄，

完美完美至完美的夢呀！

相逢戰溝裏，戰溝裏相逢！

126　　　　　　　　　　　　　　風　火　山

（兵丙和歌妓到。流浪人和她分明似受電，驚歟而悽京的電，但
只互看了一眼。──）

　　　兵丙　老跟拿出煙家司來呀！

　　　兵丁　那是自然的嘍，

　　　兵丙　各人抽幾口，小情妹你燒吧！

　　　歌妓　先燒，你先燒，

頭一口長生不老。

　　　兵乙　丙，丁　你先燒先燒，

　　　　　　　　願你第一個長生不老！

（煙家司還沒弄好）

　　　兵甲　先放幾槍吧，告訴敵人我們還沒有
睡覺！

　　　兵丁　我是我們的敵人嗎，我都等着槍響
才肯來。

　　　兵丙　這個時候死了也痛快！誰先燒？還是
小情妹你先燒好！

　　　兵丁　那末讓大哥來先燒吧。

　　　兵甲　不。

　　　兵乙　大哥是個有名的老好人，別推三推
四了。

　　兵丁　多客氣呀!因爲有客人?

　　兵內　小情妹，這就是 (指流浪人) 我說的那

——啊!失敬得很!你和他對唱才是無獨有偶呢!

　　(歌妓深深看了流浪人一眼，一肚子的苦情要奔出，但，長嘆一聲，轉成使人猜不透他們的歌曲了。)

　　　歌妓　咳————冤家呵!

　本夢裏模型，

　四方都找遍，

　文王卦說，已死在天邊，

　可突然，現在眼前!

　原想一見拋情索將他綑綁，

　要審問你傷心的凶犯——

　咳!綑過的情索依然!

　　　流浪人　流落一生，

　四方亡命，

　不曾爲得情愛死，

　只將情愛血吮盡!

　論犧牲，

　那曾比得一個兵?

　賣苦力，

198   風 火 山

　　不常是工人農人！

　　藝術家？

　　真實底靈境，

　　肩担全人生——

　　破滅的命運！

　　呵！赴戰地，

　　　　歇不平，

　　　　心肝！心肝！

　　　　'他'何曾把你忘記！

　　　　'他'正無槍赴戰區——

　　　　成全人類，

　　　　燬滅自己。

　　心肝呵，心肝！

　　要將陰朝府解放，

　　第一自己做閻王，

　　要歌唱人類的創傷，

　　至少是天下流浪；

　　啊！下農田，進工廠，日殺場——

　　單說說想想，你看多容易！

　　不是嗎？如今更加證實了——

風　火　山　129

最痛苦的味，
往往先把最心愛的嘗！
何況呀－－－
‘他’是這一流選手，
‘他’早選中了歌唱，
心肝！還記得那曲子嗎？－－
痛飲各色酒，
不到死亡不罷休！
（略停）

　　歌妓　呵！好選手！好選手
不到死亡不罷休！
（歌妓顯出狂情，流浪人故意冷靜。）

　　兵丁　正是一對貓鼓鍾！
　　兵乙　貓鼓鍾一對。
　　兵丁　唱些我們聽來都懂得的呀！
　　兵丙　誰叫你不另找爹娘去投胎。
聽聽歌聲多够美了呵，
小娃娃叫娘，‘媽媽！媽媽！’
還不懂得他在講的甚麼嗎，娃娃？
　　兵丁　大姐！你聽這娃娃多够聰明，也會

唱呢。

　　歌妓　感謝娃娃們的聰明——

搶我來的土匪兵。

（除流浪人外都笑了）

　　兵丙　請都請不來還敢動搶？——要打請打幾下吧，那麼順口就冤人！（笑）

　　兵丁　哦！笑？我想起來了，那拍馬屁的馬屁精不說要把這囘事報告給團長旅長嗎？老哥，可要對付着！

　　兵丙　他媽的屄！上前敵衝鋒怎麼不見他？嘿，一說起女人，一說起錢財，他娘的屄，只教他敢來——躲在砲彈也搆不着的地方下命令，一聽說前敵失敗，他們早溜掉了……

　　兵丁　溜掉？還命令幾個砲兵用機關槍堵着絞我們，恐怕退却太凶了，他不好——他老婆的屄洞！

　　兵丙　這些馬屁精！屎屎狗！——小情妹！燒燒這口花砲頭！

　　（歌妓抽煙）

　　兵甲　不為你這張嘴，你早高升了；不為你

能拚命去衝鋒，你也早沒有腦袋了。凡事慎重些，總

得對付過去！

（兵丙更興奮起來）

兵丙　老哥呀——

橫豎也得死，

何況一名兵！

吃不着那貴太太貴小姐的胭脂，

也得愛一個風流的娼妓！

嘎嘎嘎嘎嘎——嘣！

嘎嘎嘎嘎嘎——嘣！

嘣隆隆……

與友！與友！

與友！流彈的尖聲！

那一顆子彈把那一個兵吃有誰知？

有誰知那一個兵在那一秒鐘死？

因此，你吃不着貴太太貴小姐的胭脂呀，

也得愛一個，那怕是下等的風流娼妓！

（娼妓放下煙槍）

啊啊！拉幾個要約老哥老弟們喝酒，

買脂粉，買花兒，買吃喝逛妓頭，

13₂   風 火 山

白髮娘——

妻呀——

兒呀——（首由悲壯而凄惋，聽者淚頤。）

顧不得這些那些，

顧顧眼前也吧了，

你我原是一個兵，一個兵丁呀！

橫豎也得死⋯⋯

勿論我娘我妻我兒我愛的娟妓！

衝鋒不願落人後，

退却不願先逃走，

永遠是個兵也吧，

爲的是，我要，我嘗在人前誇口。

對不住這些那些，

活該罵我禽獸，

禽獸不下流，

卑鄙儒怯才下流——

人生只爲爭口氣，

爭氣不下流！

（歌妓站起來）

風　火　山　　　　　　　　　　　　　　　13本

　　死！死呵！天天都見死，

　　生，生又有甚麼價值？

　　啊，橫竪也得死，

　　　不過分早遲，

　　死呵，你我一刻不離的，

　　娼妓，娼妓呀！

　　　最好不過的露水夫妻！

　　我一見了娼妓忘了死，

　　我說你，我們落魄人的恩愛呀！

　　　我們落魄人的耶穌上帝！

　　呵！娼妓！

　　呵！上帝！

　　呵！恩愛的！

　　我喊千千萬萬聲我愛你——

　　我愛你！我愛你！我愛你！我愛——

　（流浪人極熱烈地，極親愛地跳去抱著他。一切靜默地緊張著
　有好一會。）

　　　流浪人　（突然放手）

　　呵！我早敬愛過一切等於下流娼妓的！

　　這落魄人的情婦，

134　　　　　　　　　　　　　　　鳳　火　曲

那可憐人的露水夫妻！

那個昏蛋造的好名詞——

下流娼妓是挨打的野雞。

我的朋友，我的好朋友，

我愛過一家貴人的女兒，

她願割斷金鐘願得飄流死，

她不要熟人和親朋的幫助，

她甯可，那怕流落成娼妓；

她說，人間果已是殘酷的深淵，

墜落深淵墜通底，

不怕墜落，懷抱着死去，

這樣嗎，撫弄魔王也如弄小兒。

唉呀呀！唉呀呀！

自從那回起，

我更加我更加讚美娼妓！

（稍停

'夫'呀，'妻'呀，一切有分定，

可恨的可憐的人生，

被束縛於各種分定，

被鐐銬於各種有名！

悲痛的時代呵——

最高最高的行為是使人犧牲！

犧牲在對全世界宣佈：

人類不仁，

妄為尊卑，

人類不義，

假定名分，

燬滅尊卑與名分，

叫人類在下流的娼妓前懺悔——

從此一切相因而相生！

　　兵乙　好像聖人說的話——

　　兵丁　也像書生的議論。

　　兵丙　娼妓，上帝！

娼妓，耶穌！

娼妓，救主！

超渡，我們！

超渡，救主！

　　歌妓　娼妓果真是人間的救主呀，

痛苦著，人間的戰士。

都只便宜那班野心家——

江海變成血酒了，

野心家自命偉大，

呀！走狗！走狗呀

走狗的歌曲在讚美那巉人的偉大！

　　兵丙　　我願是娼妓的走狗

呀！娼妓———偉大！

　　兵丁　　（笑着·哈哈！娼妓，走狗，偉大！

　　歌妓　　人罵她無恥的娼妓，

她早不與人類共休戚；

讚歎她美麗神奇，

她，誰也知她笑在眉頭淚在心底裏。

打開了人類的全部歷史，

只不看見呵————

她為甚流為娼妓！

•••••••••••••••••

苦命的，她要死，你勸她，

她要和你去，

你早無蹤無影的，唉————

你，遠遠地走了你從此無消息！

從此她四方找你，呵————

那知你不穿軍衣却在戰地。

追眞實，當幻影，

幻影中，見眞實，

人生——死，

死——人生，

她聽你說過——

以悲劇完成喜劇！

（兵們很受感動，但都莫名其妙。）

　　流娘人　她是有福了！

人類有福了！

一切無福的全有福了！

　　歌妓　她多得你的感動，

她爲這些感動所殺了，

你誘她去追紅日，

紅日驅她睡在山洼裏，

多實落，她是虫豺們的情人，

露水底露水夫妻！

　　流娘人　她是有福了！

人類有福了！

一切無福的全有福了！

188　　　　　　　　　　　　　　　　　　　　風　火　山

兵丁　　真悶氣！請說說妓女的心事吧！

兵乙　　我贊成。

歌妓　　你們愛娼妓，

你們却不願你們自己的姐妹當娼妓！

叫着，我的情哥情妹呀，

何嘗不真實，

往往還在妓女房中決鬥呢。

　　兵們　　這個說來多丟人！

　　歌妓　　佛殿前，燒得最慷慨是娼妓們的

香紙，

那比甚麼都誠心——

懺悔今生修來世。

何嘗不知：橫豎也得死，

可在求慈悲，

客人前便撒嬌疑。

客官帶着太太來

女人最害羞在同類前丟醜，

但那是妓館，是歌樓，

有客來，總得灌米湯，賣風流，

妓女敢招待不週？

　　貴家太太可正經，

　　喝吧酒，未下樓，

　　開口，閉口，

　　紐着腰兒——

　　"你看多風流也多下流，

　　莫怪你們總要來喝罐子酒；"

　　要下樓，她明知娼妓也送在客人後，

　　偏開口閉口——

　　"多風流也多下流"

　　呵！習久成自然，

　　娘胎裏誰甘下流？

　　誰也不是幾根骨頭幾塊肉？

　　娼妓可是賤肉賤骨頭！

　　　　兵丙　夠了！夠了——

　　　　歌妓　夠？

　　但要兵士們掉轉槍頭，

　　難如登天，

　　難如狂夫對酒不喝酒，

　　　　處女初交不害羞！

　　　　兵丙　夠了夠了！還不夠？我忍不下去了。

140　　　　　　　　　　　　風　火　山

我要掉轉槍頭，殺死那些太太客官，那些混賬王八蛋！我可是眞心，眞心愛，我敢賭咒！

　　歌妓　你兵士們只會互相殘殺，

殘殺又只便宜那班野心家，

江海變成血酒了，

野心家把你們殘殺的功勞去自誇自大！

我能相信你眞實，

你能爲我娼妓死？

兵丙　我能！我能！我敢對着槍賭咒！

（他舉起槍來，向天發一槍。）

　　兵甲　你也瘋了？

　　兵丙　老大哥，瘋人才是最坦白的呵！

（隔壁也跟著一小陣的槍聲。）

　　兵甲　打草驚蛇了。

（沈默中，歌妓和流浪人的生命在無聲地談情，好一會，）

　　兵丙　我說你這流浪人，你也愛過她嗎？我看着很有些奇怪的親熱！

　　歌妓　愛我的很多——

他愛我，你愛我，你很愛我，

可是龍王家的三公主，

變做一尾鯉魚來被舟子打去了；

幸好財主叫買他不賣，

美人投下金釵來換他不換，

他自個兒在船頭把鯉魚煎吃了。

他把鯉魚煎吃了，

這我倒快活，

快活心從油鍋裏煎過。

以後我是破心也是無心人，

我能說話能行走，

全仗幾根爛骨頭。

今夜我是有心了，

而且還是夥大心。

　　兵丙　　我愛三公主，我愛大心！

　　歌妓　　我愛冀的人，我愛大兵。

　　兵丙　　你愛大兵我不信。

　　歌妓　　他是流浪人你也不相信？

　　兵丙　　俄國老毛子，

中國鄉間殺孩兒，

殺了燒，下酒吃。

這你們相信？

142

兵丁　那是我哥哥親眼看見的。

流浪人　那是白俄兵，

俄皇的走狗，貴族，有錢人，

俄國大革命，

老百姓起來把他們殺的殺，丟的丟盤了。

他們有些逃到歐洲去，

吃中國小孩兒的是

逃來中國的一部分。

他們從前把俄國的老百姓苦炸了，

俄國大革命，

窮苦人抓住他們呀，

不吃他們肉都不稱心！

但是他們跑到中國來當兵，

他們殺吃燒吃中國小百姓！

　兵丁　一個俄國兵關中國幾個兵的餉，月月照關一文不能扣。但是呵，一遇着敵方的兵力雄厚，就給他們多多吃燒酒，吃得他一個個臉紅筋漲，鐵甲車把他們術到前方。啦啦啦啦啦，不知講的甚麼話。沒有牛吃，吃孩子，他們在本國也是這樣子？

　兵丙　我想不是那樣子。他和我們像貌就

不同。我們吃牛馬，他們吃我們，我們也有機會吃他們——

兵丁　（突然）咱們中國人不爭氣！俄國人，日本人，英國人，通通把咱們不當人——肚子餓慌了本也難怪：口乾的要死，腿也跑乏了，誰不想吃喝？不吃這行飯，那知這行苦。飢餓是管管會鬧亂子的呵，擾百姓，搶百姓，紅殺黑，黑殺紅，總是老百姓該死，看看這戰壕又是人久待的嗎？好些事情給人相信，凡事都由命！

流浪人　（調子忽轉和愛而盈重）凡事只要你肯幹，你能知道甚麼事情應該幹，甚麼不應該幹，還要知道應該用甚麼方法去幹；這樣去，包你佔最後五分鐘的成功！——你們全知道欺壓老百姓是不應該幹的，誰叫你們去欺壓，你們應該死都不要去欺壓。——你們全知道應該為老百姓幹好事，槍在你們的手裏，你們好好去幹吧——

城隍老爺的算盤呵，

能算，最多只能算生死，

生死以外他全不知；

人事總由人，

只怕人不幹！

兵丙　突然·城裏革命黨　真真是爲老百姓的嗎？——我們的官長說他們把自己的祖國賣了。恐怕有點吹——我們殺過幾個青年人，看起來都很有血氣，——他們不至於——不至於賣國吧？——

兵乙　小心些！只顧薄落薄落的——

兵甲　鬧出亂子誰當呵？真是——

兵丁　咱弟兄不常說嗎？——有福同享，有禍同擔！

兵甲　沒有亂子總好些！牆有耳，壁有縫！

（歌妓故意激他們）

歌妓　讓我走了吧，讓我走了吧！爲我鬧出亂子來真對不起呵！

兵丙　甚麼？天倒下來又算得甚麼？

歌妓　看看吧——禍還在美洲便担心着，害怕着了！

兵丁　老大哥是個謹慎的老實人——

歌妓　我最愛的是老實人！

兵丙　我們不老實嗎？

兵丁　老實到給人家要穿鼻子犁田了。

歌妓　我還最愛最愛最最愛那老實又勇敢
的老實勇敢人!

兵們大笑

歌妓　真是,真敢有福同享,有禍同擋?

兵乙,丙,丁　真是!真敢!

歌妓　　(帶激動又帶玩笑)

我們是有福同享,

　　　　有禍同擋!

不來同伙打倒强霸的,

他媽媽,他姐妹永遠當婊子當娼!

他爹爹,他兄弟,

當强霸的走狗,資本家的猪羊!

我們集中我們所有的力量,

我們用我們的大刀和長槍,

兄弟姐妹們!

我們要把世界强霸一掃光,

　　　　把地獄造成天堂!

天堂是一個新鮮的完美的歌舞女,

遊客是我們壯健而多情的男兒姑娘,

悲苦的,我們殺上前去呀!

殺上前去呀！

我們是有福同享，

有禍同當！

（稍停）

你們願唱這個曲子嗎！

兵乙，丙，丁　願！

歌妓　不願唱這戰曲的就不算人！

兵丁　自然誰都願意唱。

歌妓　有很多人他願，他不配唱呵！

兵丁　你做我們的總司令好吧？

兵丙　所有兵的總司令好吧？

歌妓　好——

你們服從我，

我服從你們，

我們就是我們的命令，

我們就是執行這命令的軍人，

敢指着你們的鎗刀照咒麼，

你們都願要我總司令？

兵丙，丁　願！

兵丁　我願，怕你不能夠——

兵甲　鬧的這麼凶，鬧的我心怪跳呵！必定鬧出亂子才好過？——

兵丁　老哥——

兵甲　每回我一感到有亂子，亂子就會來了呵！我——

兵丁　鬧着玩的。你——

兵甲　我？有福不同享，有禍——

兵丁　有禍自然同擋的。

兵丙　流浪人，我們舉你總參謀。

兵乙，丁　讚成！

流浪人　又喝一種新生酒，

凡是新生酒，

要我推卻不能夠——

兵甲　別胡鬧！有人來了！

空氣突變緊張而帶恐怖

兵甲　'天堂！'——

口號

回答　'地獄！'

（從壕左來一個提馬燈的勤務兵，四個提手機關的衛弁。）

德甲　你們玩的好起勁！

148 　　　　　　　　　　　　　　　風　火　山

　　　衛乙　還抱着妓女玩呢！

　　　兵甲　還好我們不曾鬧出甚麼，敵人也沒
有敢來。

　　　兵丁　第一戰線上的兵是多麼倒霉呀，你
們常在團旅長左右　倒很不錯！

　　　兵丙　太太們的香粉可真聞得不少呢

　　　衛丙　別挖苦！那似時的兄弟誰會特別好？

　　　衛甲　閒話少說。喂，你不穿軍衣的是誰？

　　　流浪人　是海裏的鯊魚，

是大陸的風灰，

是逃難的仙家，

可還不是鬼。

　　　兵甲　是個逃難人，拼長許可今晚留在這
裏的。

　　　衛丙　像一個瘋子。

　　　衛甲　許是——許是——

　　　流浪人　我不說我是風灰？

只因我在王母娘娘前犯罪，

王母貶我下凡來，

今兒吹，

風 火 山   1彼0

明兒吹，
吹到喉嚨斷的那天才算贖了罪；
今兒飛，
明兒飛，
飛斷翅膀那天才許我折囘。

　　　衙內　　簡直是瘋人唱瘋歌！
　　　衙乙　　看那眼珠不像瘋子的。
　　衙甲　　瘋？——
　　流浪人　　瘋？誰敢說我瘋？

我原是王母殿前那神童，
有天我囘天宮去，
笑罵我的人類呵，
要拔下舌頭，
要割斷喉嚨！
看！王母娘娘時常看着我，
（幾個兵果然順着他的指看去）
俗眼凡胎看不見。
要是你們能夠看見嗎，
看呀！她現在天空——
她右邊有一個仙女，

她左邊缺少了那個仙童，

仙童原是我，

凡塵不識仙童說我瘋。

也是我的王母叫我下凡來贖罪，

要不然，栽瓜得瓜，

你們在我面上種凶種得凶！

看！看呀！看！

王母態度多神聖，多丰彩，

天地有吉凶？

她為甚在屈着指頭推算？

呵！這些人不知，

人，俗眼凡胎。

唉！可惜你們不能看 ——

王母的車輪呀金光閃閃，

那車輪，本非凡 ——

從前有兩條孽龍，

一個常在農田裏打滾，

一個常在大都會行凶，

牠們專想吃人間的善根善種，

因此王母娘娘灑下靈芝水，

風 火 山　　　　　　　　　　　　　153

把牠們收到天宮；

開初是用兩條火練盤牠們，

後來天天打着牠們吃火棍，

等到牠們皮肉心肝全燒壞，

牠們把牠們以往的孽障追悔，

道痕才漸漸由火裏修成；

現在牠們能在彩雲間變化，

　　　　　　　　天空中飛行。

王母娘娘出來渡衆生，

現在是出來看我，

看她貶下凡的罪人，

那金光閃閃的車輪可不是別的呵，

兩條金龍——蜷成車輪。

從前我在天宮，

我也嘗騎一條龍，

如今我在凡間，

凡間多优怨，

我和人一樣走動！

（稍停）

　　　衙丙　我們—

　　　衛乙　你們是俗眼凡胎，我到仿佛，模模地看見　呵！看！月亮出來了！那是一個金光閃閃的車輪？

　　　衛甲　大家都着迷了？別管這些吧！且不問他瘋不瘋，我們辦我們的事好去交差！

　　　流浪人　你們是從小魔王家來？

這陰朝地府，

你們手持狼牙棍，

要拿誰交差？

　　　衛甲　你這位姑娘，走同我們去！

（兵丙冒火的眼珠向他瞪著

　　　歌妓　到甚麼地方？

　　　衛甲　你去就得了。也不會壞事的。

　　　兵丙　你們奉誰的命令來叫她？

　　　衛甲　副官長，團長都知道這囘事，她在這兒是於你們不好的！

　　　兵丙　把她叫到副官長團長那裏就最好最好？

　　　衛甲　你講的甚麼話，可別忘記呀！

　　　兵丙　忘記的是孫子！

衛甲　嗨！我們客氣些吧！這不是玩的！本
來你們都免不了——尤其是你——

兵丙　（冷笑）呀！——

流浪人　大家同是可憐人，

大家又同是兵丁，

你們幾位老哥也難怪，

你們本是奉命來的呵。

衛乙　可不是嗎？大家都是兄弟們，誰肯同
誰別紐？

流浪人　真的，都是兄弟們。

戰壕便是油鍋是尖刀山，

真的，都是可憐人，

誰肯在油鍋在尖刀山面前火拼！

衛甲　客氣些，只要這位姑娘同去就完事。
走！快些走！

兵丙　你聽明白了嗎？甚麼官長你只叫他
親自來吧！和你們無干！

衛甲　你敢說這樣的話嗎？

兵丙　（冷笑）我不敢說你敢說？那重　不要躲
在後方他娘的屎洞裏！他娘的屁，衝鋒他在那裏？他們怎麼不爭着搶着去衝鋒呀？羞死他娘的！不干你們事。就把我罵的去原原本本告訴他媽的長官好了。就說我不許可叫這姑娘去！我的外號就叫'乾柴見火'又叫'蠻幹'的！

（衛弁驚駭，想動槍而躊躇。）

兵丙　我是不願再受那些骯髒氣了。橫豎也得死，不過分早遲。

（衛弁甲看丁，在眼色裏商量。衛乙丙很受感動而同情。）

兵丙　他媽的，平常扣我們的餉，有事叫我們上前打仗！他們都升官發財了，他們把錢存在外國銀行裏——看看老子們一身的槍疤！把戲——愛國啦，絕對服從是軍人的美德啦，為民衆打仗是軍人的天職啦——這些通是些欺人騙人的鬼話——

（？？？？？‥‥‥‥‥）

衛乙　那末我們囘去報告吧？

衛丙　他罵的話大半是眞的‥‥

衛丁　他是瘋了吧？他吃著雷公公的胆子了！

兵丙　我就是我，我沒有瘋。氣要漲破肚子逗不隨便放幾個屁嗎？，我，我們是連放個屁的自由也沒有？你們請囘去吧，不快去恐怕連累你們呢。這姑娘是——我們的大元帥。我是橫豎也得死，不過分早遲！

　　衛乙　那末　　怎麼辦呢？進退兩難！

　　衛丙　他說的，也不是全沒道理。我也看着，有些當勤務兵當馬夫的簡直像姨太太一般的被看待呵！但是，有甚麼別的法子？——

　　衛乙　只好囘去報告吧———

（衛丙向衛乙使個眼色，意思覺得剛才自己說的話有些冒失了）

　　衛甲　我們幾個還辦不了這麼一樁事？走！你！姑娘你快跟着我們走！

　　歌妓　死不算甚麼一囘事——

　　兵丙　誰敢動！他要和我作對頭，不與你們相干！

　　衛甲　你想怎麼樣？

　　兵丙　好！

（兵甲和衛弁丁將要勸阻，衛甲動手攀槍機，但一切都未得助手，衛甲應隨着兵丙的槍聲倒下了。兵丙平着槍身向他們。）

　　兵丙　你們諸位不是認我講的都是眞情實話嗎？現在我已把這個慣於舔上級官的胸子的小東西打掉了。你們諸位想把我怎樣辦請隨便！

（充滿著惶恐，衛弁們更躊躇了。靜一會。）

衛乙　這怎麼辦呢？

（衛弁們一個看著一個。兵乙丁在準備防禦的神氣。兵甲無辦法的凝視。流浪人和歌妓顯出極大的讚美，但也機警地靜候著變動。）

衛丙　那末——一道兒——反叛嗎？該死！

歌妓　你們枉自生來是個男子漢大丈夫了！一點丈夫氣也沒有嗎？反叛就反叛——

兵丙　橫豎也得死，不過分早遲！

歌妓　你們給我一隻盒子炮，我跑在你們的前頭，殺上前去呵！

衛乙　——唉唉，殺誰呢？殺往那兒去呢？這麼幾個人！

衛丙　我們不是沒有丈夫氣的呀！我們也早恨我們的生活了！沒有法子，沒有出路！

（？？？？？…………）

流浪人　（極鎮重地）兄弟們！現在我老老實實地告訴你們：我是城裏那方面的革命黨人！你們軍長也說你們是革命，你們想想是不是？城裏軍隊現在可以說是革命的。他們真的能夠有福同享，有禍同檔。——現在你們明白我是甚麼人了。我假裝逃難人，我又假裝有點瘋。你們只要肯聽我的話，你們會和城裏的革命軍和在一起，不久又與南北各方面的革命軍，農人，工人都和在一起；將來還要與全世界的可憐人，勞動者和在一起，這些全是眞眞實實的話！你們相信我的話，我就有辦法，我和你們一塊幹。我是萬不會欺騙你們的！你們相信我嗎：

　　　　歌妓　我一看見你這樣兒 就不以爲你是瘋呵。

　　　兵丙　你們還想怎麼樣呢？

　　流浪人　我再問：你們相信我嗎？

　　兵乙，丙，丁和衞乙，丙　相信！

　　流浪人　你們還有誰不相信我呢？不相信也是各人的自由，而且不相信我的也可以馬上開槍打我！

　　　　大家　相信！相信！ 只有衞丁和兵甲沒答出。

　　　浪流人　(注意沒有囘答的)不相信也是各人的自由；但是

　　　　兵丙　這般時候，不許誰有不相信的自由！呵！(向兵甲 老大哥！我們的老好人！別發愁！我們做兄弟的一定跟你生在一塊死在一塊去！

兵甲　唉！真真鬧出亂子了！好吧！我也決定伙着你們幹！但是要快些想辦法，再遲一會就要出危險！我的話是鐵打的，一定伙着你們幹！

衛丙　（即衛丁）你也快快決定吧！

衛丁　不決定也只好決定了。沒有法子！

流浪人　現在都相信我了嗎？

全體　都相信了！

流浪人　（指提燈的小勤務兵）你，小兄弟！你不要害怕！你們三人，（指衛乙，丙，丁）帶着這位姑娘去見那官長，他要問你們這個死了的兵士呢，你們就囘說，他有一個好朋友在壕溝裏害潮濕病，病很重，要他招扶招扶。所以你們也來遲了。──你們幾位還是守着這兒別離開。我快快悄悄地逃到城邊，口號我知道，我和他們又有個暗號。一會我和他們殺過來，你們內應！還有今天逃難來的兩個年輕人也會內應。記着！記着我們互相招識的記號：在白天，你們的軍衣不扣紐子；夜裏頭，你們各人撕下一條布拴在槍上，你們大叫"殺反革命的！殺反革命的！"您聽清楚了沒有？

全體　都聽清楚了！

風 火 山   169

　　　　流浪人　要守祕密！要大家同生共死！我先
走了！兄弟姐妹們！祝我們成功！

　　　　（流浪人出壕，向城方輕步急走。）

　　　　衞丁　這真不好辦，上頭一定要追問這個
死了的人呢？

　　　　歌妓　快去吧！我有法子對付！

　　　　兵丙　知他媽的！該殺的！這樣的美人
計呵！

　　　　歌妓　快快走吧！

　　　　衞丙　走！

　　　　衞丁　我心慌的很！

　　　　衞丙　心慌你就跟在我後頭，見副官長團
長你都不用說話

　　　　衞乙　拼着命去呀！誰不心慌？

　　　　兵丙　照我的意思，馬上就去殺他們。但是
他已經走了。快去！

　　　　衞丙　唉！一不做，二不休，遲疑就要大家
死！老張（喊兵丙）！動手！（喊出「老張」，一個不提防地已將衞丁
按到。兵丙明瞭，立刻去幫忙，又住衞丁的喉嚨，跪着衞丁的右膀。衞
丙急將手鎗掏出，抵住衞丁的腦袋。鎗響——　我們對不起你

180 風 火 山

吧！放槍時他說 走！老哥們！

（剛要走，梁接壕旁有人喊，大家都驚慌——）

—— 他們先開槍了！我的報告沒有錯！我
的報告 謀反……

（壕中人不知不覺地作抵抗勢。）

兵甲 誰報告，唉，他媽的！預備放！——

（來人槍聲起，有彈入壕內。）

兵內，兵甲和衛內 我們殺起來吧！快放！
衝！——

（雙方激戰。那邊喊叫"殺叛賊！殺叛賊！"'激戰！激戰！'。這邊
喊叫"殺反革命！殺反革命！" 一陣紛亂的槍聲和殺聲。兵甲中彈倒下
了。一聲殺出假壕去——）

歌妓 舊激的號唱在殺聲喊聲中。兵也偶然和上一
兩聲。

我們是有福同享，
有禍同擋，
不肯同伙反抗，同伙打倒狗官的，
他媽媽，他姐妹永遠當婊子當娼！

…………………………

…………………………

— 178 —

兄弟們，鼓起革命的力量，

　　　用大刀，長槍！

殺上前去呵！殺上前去呵！

　　有禍同享！

　　有禍同擋！

　　・・・・・・・・・・・・・・・

殺聲，殺聲，衝鋒的飛　中，月亮靜靜地看着，（慕漸落下。）

第三幕　生與死交戰

登塢人：

排長A

排長B

兵A

兵B

兵C

兵D

兵E

兵F

兵G

兵 I

其他游巡兵

連指導

蘆家

女宣傳一

女宣傳二

女宣傳三

糾查隊的隊長

糾查隊六人

傳令兵

醫長

提紅燈的

其他兵士，軍長，苦力，在黑夜中作戰的數十人

王連長

佈景：

城牆堅牢，高而寬。這裏是西城的一段。城牆上顧列着一塊塊的石頭和破磚，那是用來疑惑敵人視線和防備敵人爬城的。革命軍被圍死守，守到多于黃熱，自己凋落了。誰敢去割城邊一帶的多于呢？窮人朋初還敢冒險地偷偷去割，後來多被槍打死，帶傷；而且一片片的草，多多被敵軍火燒了。

雙方子彈漸缺乏，尤其是困守的革命軍。屢次攻城的失敗告訴敵軍：白天放槍炮只是種無謂的耗費，所以後來在白天可以不聽到一二槍聲。就是飛機向城裏擲炸彈的次數也少了。

從正午起，太陽時出時沒，天變的徵候。城在絕望中熱望——幕一小會，游巡兵來間走着。排長和兵B們閒坐着談話。

兵B　排長，無線電報全壞了，外邊的消息——

排長　(安慰而激勵)不要緊的，救兵總快到了。大概第二第三兩軍長不大和氣，所以老攻不上來。我們第一軍太勇猛，孤軍深入，弄到困守孤城了。——作戰第一要敢死，第二要命令統一，第三要爭死不爭功；勿論這個兵和那個兵，那一連和這一連，最要和氣，彼此幫忙，共同使作戰的目的容易達到——不要緊的，救兵到，常然使我們增加不少力量；不到呢，等城裏糧食快完了就殺出一條血路去！

兵C　餓都餓瘦了，還殺得出去？

排長　老百姓更糟糕！殺不出去就大家一路死——這幾天發現鼠疫，你們要小心！軍人病死是最不幸，最可羞的。(沈默一小會)

兵E　他們槍炮多，人有我們好幾倍——

兵D　他們大半是麥麵捏成的。一槍兩三

個。爬著滾着，到了他們戰壕邊！每次總叫刺刀吃過半飽才回來！我們要有那麼多槍炮飛機，他們決沒得活命。

兵B　好些百姓都說呢，那一夜不聽見槍炮響，他們起初是覺得耳朵很無聊，後來便胡猜亂想，甚至以為敵人早把這座城池佔領了。

兵D　老百姓的耳朵是生來聽槍炮的呀。

兵B　那我們是生來打倒，打倒帝國主義的了。

排長A　人是逼迫成功，訓練成功的。飛機初來擲炸彈那兩天，人都害怕；後來一聽天上嗡嗡嗡地響，尤其是少年人很想望一望炸彈是怎麼落下的。

兵D　第一次上火線，心直跳，槍也描不準就放了──

兵C　越來越是老油子。

排長A　平均一萬發子彈能打死我們一個人，我們也吃不住呢──

兵D　我們的子彈比我們的命貴重。一發至少換他一個人。

兵C　衝鋒前一發，衝鋒後一發，還有一

發，退却時留着護身。有最後一發，敵人真不敢再往前追了。

　　排長A　這叫做我們的三槍戰術。滾着爬着，直到他們壕邊才一聲大叫殺起來，那叫平地一聲雷。

　　兵C　有幾夜，用花炮在洋鐵箱裏放，叫甚麼好呢？

　　排長A　叫——

　　兵E　叫沒有辦法。

（笑）

　　排長A　那不是沒有辦法的辦法？

　　兵C　叫疑兵計好嗎？

　　兵D　他們屢用大炮攻城都無效，挖地洞又破我們察覺了，他們也沒有辦法——

　　兵E　那晚要疏忽一點，他們早從雲梯上來了。唉呀呀！萬秉誠那隻膀子！

　　排長A　炮火猛攻着，我們用手溜彈炸爬城的，吃虧一隻手膀很容易。但是，當敵人手攀堵口時，我們用大刀砍下的指頭和手膀，也差不多够賠償一個弟兄了。

（他們談著，此刻忽然靜默--小會，有的從牆眼望--望城外。）

兵C　連長恐怕難活了！

兵D　他是神出鬼沒的，我們料不到。

兵C　人家會真心相信他投降？說話有點兒差池就畢了！我可幹不來。

兵D　你我當然辦不到。你看，誰能猜透了連長的心事？打敗仗囘來，我們總怕他生氣，但他反而笑蜜蜜地安慰我們；詳細講解這囘是怎麼失敗的，以後要記住，在某種情況要怎麼樣才不得敗。打了勝仗呢，我們一個個總想快樂，連長是更加仔細地安排我們了。別連的弟兄誰不敬愛他？--連長去做假投降，我敢保不會壞事。

兵C　總擔心！

兵D　誰不擔心呵！大家的生死！我不過說連長很能幹吧了。

排長\　是的，誰也很擔心，連長也真能幹。別人去，都許辦不了。昨晚開軍事會議，現在正開着市民大會，都與連長去投降這件事很有關係。

兵D　上月那流浪人去沒有弄成功，這與連長怕很有影響！

兵B　流浪人後來終歸沒進城，誰知他死活……

排長A　他來叫我們，我們不是出去殺了一陣嗎，後來我們終歸子彈少，人少，敵不過才退囘來。他許從亂軍中逃到那個村子裏去了。他像演戲的，甚麼脚色他都能裝扮；他逃命的法子很多。

兵C　軍事會議怎麼說？

排長A　連長偷偷回來，出席報告他去假投降的經過，又討論今晚殺賊的辦法。

大家　怎麼

排長A　連長說：（學連長說話的調子）城裏窮人餓死不少了，救兵又還不見來，我軍的子彈更恐慌；（換自己的調子）所以他，連長請得軍長的同意，他一人去假投降。還沒到那邊火線，那邊就開槍了。連長爬着滾着，叫：（換連長的調子）不要開槍呀！不要開槍！我有重要公事來見你們總司令！來的只有我一人，只有我一人——亦手空拳的！你們，快把我帶去見你們總司令！我有重大事，我有祕密事要來商量。（換調）連長經過了好多盤問，威嚇，連長才被綑着去見他們總司令——

作　　　　　　　　　　　　　　鳳　火　山

兵G　　唉呀！不提防的一槍打死還好些！那
具……

兵DE　　後來呢？

排長A　　見了那總司令。(他的聲調隨著時
依著語勢變化。)那總司令喝他'跪下！'我們連長說：我見
情好義把這座城池送給你，你這樣惡狠狠的對待我？
我不跪！你要殺，請快殺了吧！── 那狗知的總司令
說：'你們的詭計策我通通知道：便衣隊和逃難人混
在一起咧，假裝投降咧！'那狗司令說着，狡猾的大笑
了。正笑着，他忽然扯過一枝盒子炮來，正抵着王連長
的胸口，(果然拔出手槍來抵着兵D的胸口)'你招供是假投
降，那我留你在我的部下使用，你要招供，馬上──'
這時候，有一個狗參謀在旁邊多嘴：'何必總司令動
手，要是假投降，叫兵士用刀來將他耳目口鼻心肝五
臟，一件件地取下來好了。'王連長很冒火地回答'你
們旣不相信，我也用不着辯明眞假，隨便下手吧！槍也
好，刀也好，請快！越快越好！只怪我瞎眼！'這樣審問
詐嚇好一陣，我們王連長總不招也不屈服。突然間，
那狗司令又大笑了。他萬分抱歉的叫將王連長的手
膀解開；眞像三國上的戲，狗司令像曹操的；立刻請

王連長到一間屋子裏，很要諒解地說：'唉！想你也不會見怪吧！咱們都是軍人，兩軍陣前來投誠，你知道，自然是很嚴重的——

　　　遊巡着的兵——　喂！街上亂叫甚麼呀？

（都向街一望）

　　　排長A　市民大會開吧了。

　　　兵E　他們遊行？

　　　兵C　不管他。連長後來呢？

　　　排長A　王連長很高傲，也拍了那狗司令的一點馬屁——

　　　兵D　他有時像母親的慈愛，有時又像父親惡狠狠，他不會拍馬屁吧？

　　　排長A　革命軍的人物拍馬屁，那丟人，簡直真真去投降敵人好了！

　　　兵C　後來呢？

　　　排長A　後來那狗司令問王連長：'你有甚麼祕密公事要見我？'連長說：'我是一個連長，我這連守住西城的一段。我的弟兄們很聽我指揮的。跟着城裏那班假革命，賣國黨幹決沒有甚麼大發展的！我望你們真真幹爲國爲民的事業！我願去指揮我的弟兄們倒戈。但是我人數太少，子彈也不夠。你們如果相信我，你們趕快給一批子彈，約定某一夜悄悄去攻城，我們可以添索子，暗暗將你們一部分軍隊吊上城去，我就格開西門，你們運大軍從西門進攻，有內應，大事一定成功！'王連長說着，狗司令半信半疑的，他也想將計就計。但是王連長急了，'請把我的頭砍下來作保證也可以！'狗司令總不能分辨真假。王連長又堅決地說：'當這邊軍隊去暗暗上城的時候，我願留在這邊軍隊裏，若有巧假，那時殺我也不嫌遲吧？而且把我鎖上，等大事成功後再說。'…

　　兵E　那還成？

　　排長A　王連長故意這麼說叫他相信吧了，當然是不會鎖在那兒，他得派他來運動我們呢。昨夜輪流着你們幾個去休息，王連長就是昨夜從這兒堵口吊上來的。他上來，他馬上去報告軍長，軍長馬上開緊急會議。王連長在席上把報告講完，議決了辦法，馬上來從這兒吊下去。大概就是今晚夜動手。一會命令就下來了。

　　兵C　一幹起來，王連長不要死在他們的手裏嗎？

　　排長A　這很難說。但是王連長願爲餓肚子的人，願爲革命去犧牲，這就不算一囘事。王連長是很有才學的，他比我們都想得周到，也許——

　　兵D　我說，犧牲王連長——啊！你們不要說我反革命呵，——我說犧牲一個王連長，不如犧牲這座城！

　　排長A　這城的關係很大；守住這城，敵人要分大部分的力量來攻打。他不出力來攻打，我們就是他心腹之患，肚子裏的千條蛔虫了。而且你可以努力做一個王連長，他，他，他，都可以努力做個王連長；雖則不冀在王連長的地位。我們爲愛王連長，總得像他樣，他是鬼，他仍還愛我們的呵！

　　兵D　也許連長同他們來到城下，連長叫他們說連長先上來安排。

　　排長A　大概是這樣。

　　兵C　狗司令沒有這樣姦吧！

　　兵D　我們不得排長這麼說，我們許更姦呵。我們這連，再加十連八連不嫌多，一概跑進王連長的肚子裏去打野操，要碰王連長的腸子也碰不着。

　　兵C　這就碰着了：那個衝鋒不勇敢，就扼

像刺刀都往他的心上戳，

　　　游行兵二　　呵！他們又把軍帽高高撐起來，

我不見他們，

我知道他們在談些甚麼，

他們在把'射擊的神手'叫喚我。

　　　游行兵二　　他們失望了。子彈不多————

你是射擊神手也沒奈何！

　（游行兵剛走過來又走過去了，這樣地來回著，偶然唱些小曲
子，偶然撮口吹山歌——大家且靜默。連指導獨現在遠處，沈思地走
來走去，有時暗吟，有時他長歎一聲；偶然也從牆眼裏遠窺城外，偶
然抱著手凝望全城。）

　　　連指導　　（突然悽涼地歌唱）

帶我去呀！帶我～——

你先生只要一天給我三個黑饅饅！

不帶我去嗎先生！

可憐可憐我！

（靜一息）

　　　兵D　　這是連指導的頭一腔。

　　　兵C　　他總愛唱。他在想他遠方的女人呢！

（本是講笑話，但尾聲是被同情襲擊了。）

　　　兵F　他這麼唱着告訴我——

"在一條小小的巷子裏，

有一個二十多歲的女人碰見我，

她緊跟緊跟，說要我救命，

兄弟呀！你看我們這樣的革命軍人，

我就立刻願死也不能救她一命！

……………………"

　　　連指導　我的丈夫病死了，

我想同他一路去，

天！我不願今天就去！

我總忍心丟下我底兒，

死了也怕再做他老婆，

他只會打我罵我，不會心痛我！

　　　兵E　那女人，平常大概也很邪僻的。

　　　排長A　飢火飢火，飢火燒起來不是人受的呵！真真爲了飢饞去當娼不壞，當土匪也不壞。我們就是爲了人類飢饞拚死命；那方正宣傳我們是匪軍呢。能夠眼睜睜看着世界上一個人餓死嗎！

　　　兵D　但眼睜睜看着很多很多人餓死了！

　　　兵C　說良心話，飢火飢火真是火。飢火燒起來比性火厲害多。三年五載沒有女人睏覺倒可以，三天沒有飯吃呢？那回我一天多沒得飯吃還跑路，餓的兩隻眼前像有多少金花虫在飛！

兵D　餓起來，喝喝一棒涼水都好呀。

兵C　開初喝涼水還好。越喝肚子就越空，脚也軟了，冷汗直流。

兵D　性火燒起來也了不得，那管天翻地覆。

排長A　所以有許多強姦的案子發生了。

兵E　女人總怕強姦。

兵D　這一種理由是，因為誰都不願誰的妻子姐妹被人家強姦。

兵E　你看！說話多跳皮呀！

（笑

兵C　我被那個美貌的女人強姦，我願當她勤務兵七八十年！

兵E　你也活不了七八十年。

兵C　訂合同吧，死後再死也得要睡完。

兵D　你去找黨拐子的二太太好了。那是大大有名的女嫖客，女強姦大家。但是你眞要小心，又假使你很得寵愛，那末，等你骨髓有些兒空了。她還留你當一名馬弁，或是勤務兵。要是你不得她寵愛，在甚麼時候，‘呵嗨’！你畢了，你還不知道呢。她常騎在馬上帶着槍，用幾匹黃的紅的綢子結花球，掛在胸前，專選出漂亮的一二連衛隊圍着她的馬前馬後走，馬跑着，花花球兒風裏飄飛着，正是個女英雄的派頭。她只愛玩那漂亮的童年。他部下的馬弁們沒有一個不是她玩過的。人間有小姨太這種說法，這要叫‘小姨男’或者叫‘小姨漢’了。——

（笑）

她真有不少的小姨漢，算得一隻母老虎，女嫖客！她的丈夫有軍情要事，先得派人去跟她請教，她要不答應就辦不成。——這是凡從前到過關中的都沒有不知道。你——

兵C　我祖上沒有修陰功做好事，我總遇不着她黨二太太！

（笑）

排長　你現在就不要缺德。

兵C　我現在已不是童男，那年另找一個黃毛了頭做--做，生下個十八九的童男，故意送把黨二奶奶去強姦——

　　　　兵Ｄ　　她也算爲女同胞們開開光了！

　　　　兵Ｃ　　爲女同胞開光，女同胞應該爲她鑄

銅像！

　　（大笑）

　　　　排長Ａ　　不要胡說了，今晚事重大，留着精

神殺敵人。——

　　　　兵Ｃ　說說笑笑，把甚麼都忘記了。不說不

笑，有時眞像住在墳裏頭。

　　（排長笑看着城池。）

　　　　排長Ａ　　你這城池呀，

我把你好有一比——

走不動，快要死的一個王八！

　　（大家笑

　　　　兵Ｃ　　我也學着來一下。

　　　　兵們　　你來！

　　　　兵Ｃ　你這城池呀，

我把你好有一比——

上海四馬路的野雞！

　　（大家笑

　　　兵Ｄ　爲甚麼像四馬路的野雞？

　　　兵Ｃ　人隨便從城門洞來來往往，這個洞還不像那個洞嗎？

　　　兵Ｄ　非怪你一天連頭帶尾出出進進那個洞！

（大家笑着。兵Ｃ摸給兵Ｄ一小拳。）

　　　兵Ｃ　妹！只有白天好，白天息盡風煙，夜來就像幾個大富人家討新娘，幾個大富人家在鬧鬼，烏煙障氣一團糟！

　　　兵Ｄ　這台喜事眞熱鬧，還用大炮機關槍殺人來做禮物呢。

　　　排長Ａ　將來新婦生孩子，這孩子的力量應該大過我們幾百倍，因爲她是吃了多少人肉人血才生長起來的阿。不幸他的媽媽是軍閥，是帝國主義，是愚蠢，是盲從，是假面具，是偷天換日的市儈；他的爸爸是可憐的農人，工人，兵丁，有熱血的靑年，窮苦的藝術家和有仁心的科學家。你們想，這牛頭不對馬嘴的兩口子爲性火中燒不能不同伙睡覺，但是打架吵嘴的時候就更多了。那孩子便從這種場伙中生長下來！

兵Ｅ　我確是這樣生下來的。但我父母都是鄉下人。我父母時常吵嘴，

排長Ａ　因此你成了革命的戰士。

兵Ｄ　敵人兵丁也多是農家子，工人子，爲甚──可憐的走狗！

排長Ａ　那是很久以來就被強姦了。

兵Ｄ　外國資本家──

排長Ａ　那是惡毒的精虫，吃銀水的卵子，和苦力的血汗造成的。看看他們肚子都很漲，漲到快要炸裂了。用我們的刺刀一扎！完了！完了！他們全完了！

（排長看手表。）

排長Ａ　換班去，時候到了。

兵們　好！又輪到我們。

（他們去換那幾個游巡着，窺查着的兵士。那幾個兵士全過來亂的坐，躺的躺下了。太陽總是往西行，城堵口的影子漸漸移向東。他們大半在影子裏。沈默中，連指導又在那邊歌唱了。）

連指導　才是沙天幔，征衣單，

塞外風寒，

又數千里轉戰。

幾時歸來——

唉——

眼看麥兒黃，

　　餓斷長安！

（兵們都沈寂地遠望他）

毒虎不吃兒，

人天晚————

　　東家抱來西家換。

你有胎你快快打胎呀！

你要復仇，小兒誰管？

一軍弟兄死過半！

多麼笑話———戰士有後代！

呵，你富豪人家的公主，

別憂慮，爲苦窮而戰的野丈夫，

紀念我，好好撫養那人類的一點骨肉。———唉；

只你非公主，更非豪富，

你也飄流飄流着的女人呵！

（沈思着走來走去一小會，突然驚跳。）

啊啊！你更高的戰士！

你更偉大的女兒！

賭氣生下那小子，

那是歌，那是詩，

那是藝術的藝術，

　　革命的革命。

拚着死命生，

拚着死命撫，

小小就把英烈戰曲教他唱，

後來戰曲摧他上殺場；

拿着炸彈問——

為甚麥兒黃，

農夫反遭殃？

拿着長槍問——

為甚工人苦，

資本家享福？

叫問叫，問一切——

誰當生悲傷，死悲傷

誰該安樂地活在世上？

炸壞那往日的月亮，

刺殺那舊日的太陽，

一切歸燬滅－－－

那有窮苦人不能懷胎？

窮苦人得離情割愛！

你更高更高更高的戰士呵，

　　偉大偉大更偉大的女兒！

生命等於死，

　我完結今生，

敎小子創造來世！

片刻沈默

　　兵G　他總是不開口就不開，一開口就娓娓婉婉，激激昂昂一大篇－－

　　兵H　他又愛一個人走來去地想。都不知他想些甚麼。大概心裏很難受！

　　兵G　他還會一個人暗地裏落淚發笑呢－－－呵，好像那個最好看的女宣傳員從前很愛他。

　　兵H　那許是眞的。他最不願意人家看見他流淚。

　　兵G　他沒有一點甚麼不好。他的錢，他的甚麼東西都隨便弟兄們拉用，他一點不在乎。眞是好人！更其對於病的，受傷的弟兄很關心！

　　　兵H　但是癖氣怪起來誰也不敢惹。總參
謀他邊罵呢！

　　　兵G　咦，可惜我們不大能看呵！聽說他有
一隻小箱子他最寶貴了，那裏頭全是曲子呢——

　　　（G開頭，H尾着唱。唱不很大聲，但很有神氣。）

　　　GH　飢餓叫我們團結起來，

痛苦叫我們團結起來，

穿衣，吃飯，領同樣的薪水呵——

從伙夫，從下等兵到司令官：

有一天我們戰敗，

不會因為誰的腰包滿，

他悄悄地各自走開，

走開到了機會成熟他又投機又轉來。

我們打勝仗，

也不會因誰的腰包滿，

他不願再戰，他霸着地盤，

他用豪富的勢力來討幾個姨太太。

呵！我們奔大海，

　　挾着高山奔大海，

飢餓呀，痛苦呀，

人類的羞恥呀，

海上燒野火——

燒了，燒了，用我們的熱血火燒了！

葬了！葬了！用我們的熱血火葬了！

等到新人類，跨大海，

望我們走來，

步步花兒開，

不叫誰親愛，

都自然親愛！

人類本自然——

科學也自然，

藝術也自然，

耕田做工都自然；

步步花兒開，

小兒問媽媽，

那來這美麗的江山，

媽媽囘答，江山是從我們手裏掉下來，

呵！步步花兒開。

花兒又從何處來？——

　　飢餓的世界！

　　痛苦的世界！

　　血的世界！

　　力的世界！

稍停

　　H　　呵！血的世界！

　　G　　不得他細細地講解，我還有很多不懂呢。

　　H　　前次陣亡的韓方韓上士能唱他的曲子很不少。韓上士真不錯，他也學着做小曲。

　　G　　他的小曲不講我也懂。

　　H　　現在有很多青年長官都比從前大走趣味了。

（G茫然注視城內遠處。靜默一小會

　　G　　那邊嘈鬧甚麼？──還有兵，有　　有好些人──

　　H　　那又是搜糧吧。

　　G　　搜糧──一天總鬧好些台。

　　G　　三塊來錢一斗的麥子漲到七八十塊了！──

城不開，還得漲，漲到滿城人死絕，餓死鬼還得和飽死鬼打架呢——

H　又好像不是搜糧——不見挑子和手車大車——

G　你不硬要，誰也不肯善善地就拿出來！綑起來，吊起來，跪鐵練，火燒脊樑骨，——活該的，肉票子，綁匪——

H　不十分窮的人家都在吃米麩拌糠，吃油渣，吃麩子，吃野菜，吃草根樹皮，葉子，吃——本來就是窮光蛋的——

G　本來就是窮光蛋的很好辦；因為他們素來就是苦找苦吃，他們不顧體面不管危險。那些空地上的野菜，據說他們挖去躲着——要躲着，這般時候，有錢人總裝着沒有錢的——躲着賣把有錢人，很得高價。有錢人怕死，怕流彈，怕飛機晗啥地在頭上響。

H　飢餓把我們團結起來！痛苦把我們團結起來——像這種時機，工農兵政府我還嫌牠不到家——我相信真真就可以實行共產。那個抓住鄉下的一個土豪劣紳，他怪可憐地說：“早知是這樣，我也願做一個共產的百姓！"——

　　H　把城內所有的共完還共甚麼呢？叫農夫送進來給他們共？

　　G　不在這時候，要命的時候，誰也不肯掏腰包。我們和窮人餓着肚子，他們多把糧食埋在地下埋壞了，還不敢給別人知道呢。凡事總要強迫些才行。練兵就是強迫的好榜樣，不強迫些練不出好兵。

　　——我倒說，好不端端誰願來革命，把頭都革斷了。你也和我一樣，沒法才當兵。當兵倒不少——

　　H　我開初，是地方上的人看不起我家，我想叫他們也看看指揮刀的好處。其實只要耐心學手藝也還過得去。——現在——

　　G　現在怎樣？

　　H　自然是革命，'爲一切被壓迫民衆而戰鬥'，'勞動階級' '無產階級'——（這時原想說的俏皮話，但那連指導和連排長們突然浮上心來，語氣急轉嚴肅了。）這些那些，我們的連長，連指導，排長都很配，我們信仰——唉！我們！我敢說，不少滑頭青年是爲做官，做黨官，誘女人，誘女同志才來革命呵！

　　G　呢！你有那本領你也——

H　恨我少讓幾年青吧了！他們又有甚麼
球本領！臉子白，會寫，會裝吹，會舔女人的肐子吧
了！但是——你我若打十年仗不死，準有師長的希
望——師旅長的左右可以有幾個漂亮的女同志！哈
哈——

G　留心些！別瞎放胡屁！那裏都有好人壞
人的。有些青年不是很好嗎？你憑良心說！

H　點頭

G　還有，幾個女宣傳員和幾個救護隊裏
的，那憑良心說，總太好了——我永遠也忘不了她
們！多麼嫩秧秧，大慈大悲的，比自家的姐妹一定好
得幾十倍——你別笑，我——她一走到我面前，我眞
一點半點邪念都沒有！

G　你敢憑着刺刀說？

H　憑着大炮說都敢！

G　那——有邪念又是罪過嗎？

H　我不說那個。

(H注視城內遠景。

G　呢，不說那個說甚麼？

H　——

188　　　　　　　　　　　　　　　風　火　山

G　嚛，你好個悶勁！你－－哈哈－－

H　我又在想着；連長也彷彿說過，要一件大事成功，半由機會成熟，半由強迫實行。－－那邊還在鬧，要等一個炮彈來勸架？不注意一個軍部裏的畫家提着畫具走來。

G　造反，造革，綁票，找女人　　死裏逃生，見鬼！　　這種年成！

畫家　（隨便就着 的語尾唱）

這種年成，

死裏逃生，

見鬼！

這種年成，

戰士們，

拚死命！

G　又來畫畫？

畫家　這種年成！

H　這種年成。也有 畫畫？

畫家　這種年成，

甚麼也該拚死命。

G　畫畫 得飯吃嗎？這種年成！

風　火　山　　　　　　　　　　　　189

畫家　不畫又有飯吃嗎?

這種年戏!

G　你在這兒畫吧,我們頂歡樂否着你畫!

H　你看甚麼呢?你說不能當飯吃的呀。

畫家　都變着金山銀山,

爽口的飯菜,

就不要聽黃鶯'哩呵'哩哩哩?

H　老實說,我們看畫,聽歌一囘去,比那不大好的宣傳員講演十多天還明瞭些!你看看我的手膀像不像那隻要從帝國主義,封建社會下翻起身來,拿斧頭砍他們的大膀子?

(畫家捏一捏他的膀子。笑。)

H　好些天來糧食不充足。寗在鐵桿上轉大串輪呢。一'叭吼'柁開對面來的兩隻枪,刺刀順便就刺中右手邊那人的胸膛了!這叫做枪夾棍的使法。這是前一場衝鋒的事呢——

畫家　好極了!就在這兒畫,

就畫那'叭吼''叭吼',

枪法不好還敢去衝鋒?

畫不出那聲響那'叭吼'不算畫!

（弄畫具）

H　難怪你叫石頭說話，孫猴子大鬧天宮了。

畫家　不曾叫出來的聲音也要畫。

H　你畫我的頭髮，我的頭髮有幾根？

畫家　十二萬萬五千萬多根。

H　胡說！你數過？

畫家　你用甚麼證明我沒有數過？軍人說話一是一，二是二，沒有含糊。

（笑）

H　宣傳員曾說，現在被壓迫的人類有十二萬萬五千萬來多，那末要是孫猴子，我的頭髮就能馬上變出十二萬萬五千萬個自由人。

畫家　那麼多人在你頭上，所以你是怎樣的重要啊！

H　這樣重要，另外的人都不來解解城圍救救我，我真不高興。　那個美人要我頭，不花一文錢白送；那個孫子要我頭，只消三斤牛肉兩斤酒。

畫家　那，你把十幾萬萬朋友都賣了。

H　能賣他們我倒好——

　　　G　打嘴！

　　　H　打嘴？記住！賣得錢，別想住我的大洋樓，坐我的花花汽車呀。念當初是好朋友，給你個麻臉、歪嘴，奶頭不重只有十來斤的婆娘！

　　（笑）

　　　G　我倒有老婆也有兒子了。

　　　H　我出賣人類，賣得錢才討。賣不得，一輩子不討。

　　　畫家　我叫一個姑娘愛你好不好？

　　　H　誰？你——

　　　畫家　自然給你看得見，她馬上就，"一變二變，姑娘出現！"

　　　G　快跟老丈人磕響響頭！

　　　H　我中國早已文明，用不着磕頭，你眞腐敗，當面道謝，行個洋禮吧。

　　（笑。舉手又鞠躬。）

　　　畫家　（動手作畫）

我的筆，

我的愛妻，

不枉你我老兩口苦苦奔波，

你看，有這麼一個精壯的女壻，

你我死了也安心。

浩劫，空前的浩刧，

死城，你我死城頭上嫁閨女；

女壻多勇敢，能幹，

一個兵，一個兵，

頭上頂着十二萬萬五千萬個苦弱人！

呵呵！我新生的愛女！

多俏，多壯，多柔情，多鋼強，

你笑麼？你心滿意足地情願了麼？

唉喲，額寬，眉長，大眼，多神氣，

下巴圓靄靄，天生的捲髮，一對小酒窩，

數不盡的數不盡的迷人處

襤衣不穿爽性裸體吧，

你生平常百姓家，

新人類的母親呵，

你一切女性美，女性愛的精華！

多合適，愛個革命兵

大姐嫁在闊人家，

夫壻不知當改嫁，

　　二姐嫁工人，

　　三姐嫁農人，

　　四姐嫁把科學家，

　　五姐太風騷，

　　　她非藝術家不嫁，

　　六姐那個小丫真了不起，

　　　她專愛世間的奴隸，

　　七姐爲我老兩口東奔西跑，不曾養大！

　　你是小八姐，

　　你的甚麼都比她們強，

　　去！去呵！（又畫給H）

　　今後城裏城外花炮響，

　　我和你媽也來賀新房！

　　（H接畫。大笑。）

　　　　G　抱她睡覺去！

　　　　H　他的眼睛告訴我，不打勝仗不准我和
她睡覺。呵！她還告訴我，十二萬萬五千萬人不自由，
要想‘那個話’就不能夠！　（大笑）

　　　　H　我睡前吃她三口，睡後吃她三口，她
會在我夢中顯靈呢！過去種種，想起來，眞像一個夢。

你盡量地求歡一夜你流幾次精，流後你閉着眼睛想想也好像剛才手淫：不過，你笑？不過覺得一陣熱蓬蓬的肉香味還在身邊吧了。你當然很熟習，你有老婆，不熟習你問我的老丈人！（笑）那麼我愛這姑娘一生又有甚麼過不去的地方嗎？——

　　G　好！頂好！

　　畫家　你也愛一個嗎？實際說來，凡見過這女兒一眼的，都可以把她當自己的情人了。你吃醋？沒有甚麼。

　　G　那我不，他和我拚命呢。

　　H　也無妨，只要有那個本領。但是，先生，他在想他的女人呀！她女人會生孩子——

　　G　咋！女人會生孩子也奇怪！

　　H　怎麼不奇怪？我這女人她決不會生孩子。

　　呢，你在想你的女人呵！他（轉向畫家）女人種地送飯，照料家事都說得上第一等的賢慧能幹。

　　（畫家一笑。但悲感襲來了。）

　　畫家　咳——

（H也不知不覺地受了感染。）

　　H　咳呀 ⋯

　　畫家　賢惠,能幹,

殘酷的呵 ⋯ 飯碗!

飯碗,離散!

　　G.H　殘酷的呵 ⋯ 飯碗!

飯碗,離散,

　　畫家　槍在肩頭,炸彈握在手,

更得把父母妻兒拋去!

呵!恐頑,習慣着炸人類了,

劃不清誰是友是仇!

成功呀,多殺了幾個不能相親愛的朋友吧!

失敗,冤家對頭在那裏?

逃走,報載他們一併妻兒早逃走,

歐洲,美洲,日本, 一 若非世界都革命,

資本主義流通處,有的是洋樓!

小兵們何處逃走?

　　G.H　咦!小兵們何處逃走?

　　畫家　戰士!你們的的確確是第一流戰士!

'頭腦簡單'?'沒有知識'?

那有甚麼法,

原生長在苦人家！

戰士呵！第一流的戰士頭腦簡單沒知識！

　　　　H　你

　　　畫家　我？

我⋯⋯

我要反抗世界，說我眞心話　一

我用筆粗糙無技巧，

不領教那所謂的畫界人豪，

呵！一樣的沒法，

　　原生長在苦人家。

但我氣魄確厚而遠大，

這一點，我相信我超過以往和現在的一切畫家！

前敵兵多死，

我同奔前敵戰鬥；

孤城困守，

公務休，

提畫具

上城頭，

我忠實生活忠實畫，

你們是第一流的戰士呵，

　我，我確是第一流的戰士畫家！

　　G.H　是！第一流戰士畫家！

　　畫家

你們囘答'是！'

人類眞情永不死！

（指着天空）

我的聲浪怎麽不充實？

莫非　──（指天）

人小宇宙大？

呵！你不過

　但也未成熟，

你，你──

音樂家，畫家，

科學家，

你一切家的本家，

你囘答，你不囘答？

風無語，

你自然無話囘答！

呵呵！甚宇宙，甚大？

人間一粒米麥比你更偉大！更偉大！

風大山

H 怎麼？

G 誰？

畫家 今朝該得兩個黑饃饃，

同生‘謝謝’去一個，

H 呵——

G ‘謝謝’等於‘敲竹槓’。

H 這當說‘揩油’。

G 也叫做‘死狗’！

畫家 都無妨。人類從來就在幹‘死狗’的勾當。資本家因做死狗，揩油，敲竹槓，謝謝，所以大闊而特闊。文人官僚這樣也所以成功。窮人呢？除‘謝謝’而外都應該盡量使用！

G 怎麼要除開‘謝謝’呢？

畫家 本不必除開。但用在不圖報酬的情義上也不壞。感情是這樣的。

(糾察隊從左過來。)

G 呢，糾察隊又來了。

隊長 (小聲，短捷。)向左轉立定。少息。——這邊沒有開槍？

G 沒有。

　　　隊長　這一帶是最要緊的。仔細着！

　　　G　晚間才要緊。白天誰也不敢睜着眼睛來送死。

　　　隊長　唔

　　　G　今晚的命令下了嗎？

　　　隊長　一會就下來。這一場大變動是生死關頭了。　李同志畫了幾張？

　　　畫家　沒有畫；只新生一個十七八的女兒，愛了個最美滿的女婿。

　　　隊長　不說你的愛人還在雲裏霧裏海底裏？

　　　畫家　那是真的，這也是真的。

　　（H、G笑。H揚出畫來。

　　　H　請看我的新娘美不美？

（隊中人也伸頭看）

　　　隊長　唉喲！真有這麼美的一個女人她未必愛你吧？

　　　H　你請問她愛不愛。也許我升到糾察隊長他才不愛我。

　　　隊長　糾察隊長有這麼討嫌嗎？我本人也

200　　　　　　　　　　　　　　　　　　風　火　山

討嫌？

　　　畫家　愛呵，愛，因為是愛，我才把我女兒
生下來。

　　　隊中一　也給我一個女人！

　　　隊中二　我也要一個！

　（笑）

　　　畫家　女人是隨便給，隨便要的嗎？

　　　隊長　那很容易懷胎也很容易生。李同志
一窩下幾個？老母豬一窩下十二個呢。

　　　畫家　好！只要你們是真的戰士，我一窩願
下十萬個女兒。我生女兒是專為嫁把戰士的。準明
天，每位戰士敬送一個，好嗎？

　　　隊中人　好！謝謝老丈人！

　（笑）

　　　隊長　這是真正的狂飆時代！

　　　畫家　女兒生到人間來，

　　偏逢這狂飆的時代，

　　要不愛一兩個勇敢的丈夫，

　　寧可披髮赤足跳東海！

愛一個大勇敢的丈夫，

窮心甘，餓心甘，

丈夫賣了她吃飯，

她也心甘——

心甘！女兒家要大勇敢的愛！

　　　隊中——　女兒最是柔情逗人愛，

野樹柔情花齊開，

沒有柔情是乾柴，

乾柴好燒火，

花開惹人愛，

爲得柔情女兒死，心甘！

　　　畫家　　呵！敵樓逢歌手，

　　冤家遇對頭——

柔情而又大勇敢，

火樹開花更惹游郎愛，

爲你能唱曲，你唱曲的丈夫，

我將生一個，柔情而大勇的公主，

（畫家立刻用筆速寫一公主的素描。）

你情歌的能手，你，

你愛這柔情而大勇的公主？

隊中一　我便是她的情郎，

我原是大勇敢的丈夫！

（接過畫來

無愛不情郎，

無美不公主！

（大家笑着看）

隊長　公主，封建時代的產物，

你革命軍，你愛公主？

我打倒公主！打倒公主！

（大笑）

隊長　走吧！願天下有情人都愛，無情人，

都成眷屬！李同志，別忘記我也是個單身漢呢！

畫家　自然，你有個無愛的老友，你詛咒，

天下無情人都成眷屬。

（笑）

隊長　胡說　一立正。向右轉。扛槍常步

走。

（糾查隊走

隊長　把我們這隊人畫在一個角落上吧！

畫家　歡迎！這本是一份祭禮！

G　　你盡吧，李先生，我們隨便走走輪船，今晚好殺敵。

畫家　對。

（畫家取出一大張油布，將位置調好。看着畫布凝思好一會，給機間右移動四五尺。開始着筆。游巡兵仍走來走去。）

排長D　（從左唱着走來，初只聽見歌聲不見人。）

江北麥兒黃，

江南正稿秧，

妹江南稿秧，

哥北方打伏；

呵！秧歌無人對，

苦殺麥兒黃！

（游巡兵和口唱）

哥志願，長江水，

戰不勝，誓不囘，

那有個男兒空空瀝些恩情淚！

（游巡兵和口唱）

哥也愛北方的姑娘，

有的北方姑娘真強壯，

哥遇的一個，她家住在黑龍江；

　　妹呀，有最美而聰慧的幾個，

　　都原來江南是她們的小家鄉；

　•因此哥曾想——

　　　　江南姑娘好到北方來生長，

　　　　江北姑娘幼年就該到南方，

　　　　南方多流水，

　　　　北方多山崗，

　　　　山崗壯穩，

　　　　流水性動蕩，

　　　　看呀，江流帶着山崗東奔海，

　　　　因此海洋有山崗似的狂浪。

　　　　哥愛南北方的姑娘呵，

　　　　哥更愛那山崗似的狂娘。

　　　　妹呵！此一番戰勝

　　　　第一打破山崗流水性。

　　　　戈壁場中也要遇美人！

　　（口哨更起。左方隱隱得見他。）

　　　　我的妹呵！女兒家愛抱醋罎

　　　　　　　　　不嫌醋味酸，

　　　　以爲我愛了北方的姑娘，

我將不轉來？

誰不知，我有愛，愛生雲嶺，

誰不知，我有情，情在西山，

別把你醋罈兒撒壞，

天知道，我直想江南，

為甚麼不想？

江北麥兒黃，

江南正搞秧，

我拿手的山歌，

一唱二三曲，

包管要迷住那對手的姑娘。

為甚麼不想？

想的差不多要臧了同伴丟了槍。——

為甚麼不想？

想發慌，

肚餓好難挨，

太陽已偏西，

還不見你叫我出邊吃午飯。——

為甚麼不想呀為甚麼不想？

想想想——

想他是空空，

麥黃郎心紅，

不見搞秧郎心痛！

（不約而同的，城頭上連起口哨，）

　　兵D　　戲排長的相思病又發了！

（排長B已走到他們面前。）

　　兵II　　（口哨）'與友～～～'，'相思病'！

　　排長B　　會害相思病，

何苦來做革命軍！

她是兩塊肉，

你是隻餓狗，

餓狗眶眶眶，狂狂狂，

口水自個流，

兩塊肉在那邊山背後。

沒有翅膀，

想姑娘，最好是唱歌 ——

得無防，失無防，

手淫會生病，

禁止手淫！

宋江說的'好漢最怕漏骨症'。

（兵們漸漸集攏來。盧家只專心靈靈。）

　　　D　　好漢也怕相思病！

（大家笑著）

　　排長B　　軍人不怕捨頭顱，

想想女人又何防，

本是人，

人誰不愛情

革命成功，

人類從此不當兵，

軍人也從此不害相思病。

　　　H　　也從此不手淫？

　　　D　　禁止手淫！服從命令！

　　排長B　　人家只看我們是兵不是人，

好像兵們只應該疆場拚死命；

糊塗蛋，

不把人當人————

（一個傳令兵跑來）

　　傳令兵　　敬排長　　營長請你！

　　排長B　　好！你去我就來。

（傳令兵向後轉走）

D　甚麼事？

排長B　令晚殺敵人！

B　去！(玩笑地說：'服從命令！

畫家睜淨筆看他們。)

排長B　不要錯解了命令的精神！

命令宜代表事實上的必要，

服從是執行必要的一把戰刀，

必要執行，

命令戰刀，

服從一聲刀出鞘。

兄弟們！要把目標看清楚——

一切革命的目標呵，

要人類中的人人過'人'的生活吧了！

我們無女人，想女人，

想不到，唱情歌；

"一面唱着情歌一面去戰爭"這話王連長說過，

"軍隊無歌，

人無心肝，

天地無風海江河"。

(排長B轉身急跑。)

H　　他真是王連長的高足弟子。

D　　畫完了沒有，先生？

畫家　一切都沒完，怎麼畫就完了呢？

H　　我真餓極了！

畫家　索子偏從細處斷，

燒遍世界只差一把火。

H　　你說的只有你明白。

〔又畫着〕

D　　我也餓過了。餓過就不大想吃。

H　　燒燒我的肉來大家吃好嗎？

G　　倒肥壯，只要燒你你不死。

H　　不死多痛呀，死了好。

G　　你想吃，你死了不仍是餓死鬼嗎？

H　　那末我把你燒了吃吧。

G　　交情真不壞。

H　　今晚真要殺他幾個狗奴的來吃吃看。

G　　這還是新聞？

H　　像打獵的，狗肉湯鍋，人肉湯鍋——

D　　不把人當人？

H　　那比不把兵當人好些！

（G伸長懶腰打了個呵欠，H乘勢摟他腰一下。）

　　　G　（跳起，用手格，）你這東西真無聊！

（大家笑）

　　　H　正是無聊呀，不無聊，怎麼走去走來都

在說的無聊話！

　　　G　渾身發困——

　　　H　我唱一把曲子給你們鬆鬆氣吧——

（把G擬作酒家女）

　　　H　大姐，給我四兩老燒酒，

　一碟油炸麻花豆；

　還有豆腐乾？

　也給我兩塊。

（大家笑作一團。）

真能幹——大姐，

掃地，擴桌，弄菜飯，

還得做買賣呢，

真——能幹！——

呵呵，大姐，多少錢你掛在水牌，

準後天，工錢一下我就送來呀！

（轉學女兒腔，作女兒態——）

"準後天，一天也不能遲桜！"

（轉男腔——

喂！大姐！老燒——

呵老燒酒沒滲水吧？

（轉女腔——）

"誰滲？"

（轉男腔——

唉！我說滲上你一點口水我倒愛！

（轉女腔——）

"小鬼！"

唉！滲你一點香香汗，

汗裏有粉我更愛！

（轉女腔——）

"鬼頭！我不赊了，拿囘來！"

還你吧，我只喝了酒一口，

一點沒動你的油炸麻花豆。

（這時左邊來着三個女宣傳員，她們指手盏脚的啞笑了。但還出聲，恐怕打擾他們。步很遲的。）

（轉女腔——）

"拿囘來，拿囘來！

212　　　　　　　　　　　　　　　　　　　火　山

就算你白吃酒一口！"

白吃？

我嘴上沒有擦粉呵。

（轉女腔——）

"醜；管你白吃紅吃拿囘來！"

碎！我嘴上更沒有胭脂，

更沒有你嘴邊那麼一點黑濃濃的美人痣！

（女宣傳員們忍不住大笑了，兵們轉過視線，但，一忽後，神氣
上更希望日再唱，好逗女人笑。）

（更起勁地轉女腔了——）

"小鬼！挨刀的！"

呀！我想爲大姐挨刀，

只恐大姐你不要！

（轉女腔——）

"賊！你嘴會翻花，

　等我媽媽來！"

你媽媽？

你的媽媽更愛說笑話。

我走了，大姐——

喔！　你那我不走——

呵！不是說走又不走——

　　恐怕大姐忘記寫水牌，

　　媽媽囘來要見怪！

（轉女腔——

"嘮叨賊！"

　　兩塊豆腐乾，

　　四兩老燒酒，

　　一碟油炸麻花豆，

　　還要寫上"嘮叨賊"！

（大家一直狂笑着——）

　　女一　完了嗎，再唱呀！

　　H（女腔）　他已經囘去喝酒了！小姐！

（大家又拍掌狂笑。只女三想望着別的。）

　　女一　比我們在舞台上演的好呵！

　　女二女三　天才！眞是民衆的天才！

　　H　貽笑大方了。要知孔夫子覿到，我小子豈敢賣弄文章——

　　女一　（學男腔）好說好說，龍燈腦売。

　　G　拉鬍子過河。

（游巡兵四五人也笑着過來了。

女二　再唱下去吧！人越來越多了。歡迎！

H　要遏公鷄下蛋？

女二　你不才下遏嗎？難道你先前是母鷄？

H　公鷄變母鷄，變的這麼快，要謝謝你們的金口玉牙！

女一　那末是公鷄拉矢頭節硬了！

（大家圍着女一笑）

H　你們二位今天怎麼不武裝？

女一　多變些花樣給你們看看不好嗎？

兵C　這衣裳好像你們演劇穿過的。

女二　他眼睛比孔雀矢還毒。你記得是演甚麼劇穿的？

C　演——？

D　演‘兄弟姐妹們，再見！’穿的。

C　呵這位畫家穿的也正是那畫家的。

女一　呃！畫家先生！專心到我們胡鬧一半天也聽不見？

畫家　我的筆正在和你們的生命跳舞。

女一　甚麼？

（擁過來看畫）

女三　呵呵——

女一　把我畫成甚麼樣？——這麼複雜！

（女三特別受感動。大家靜聽着。尚未落山的太陽照耀着，金光鑲在一團團淡墨色的雲彩邊。

　　女三　啊！嚴肅，恐怖，死氣充塞中的敏健的動像呵——沒有一片是絕對的光明，也沒有一片是絕對的黑暗呀！在這擾動全宇宙的洪流中——怎麼？——啊，隱隱，透露着，少女懷着的新生的潛力，好像是一個人形，不，呵，是一羣，一羣！有個——呵不，左手護着傷痛的，右手與羣敵交鋒——眼！眼，**一對對，犀利光**——呀，恨？慈悲，慈悲，大仁，大仁——射透洪流的——生與死，爭鬥，爭鬥，一邊好像在喊着——是我所有，是我——一邊却相反：是我們，是我們所有　是人類公有——那，那又好像說，按勞力分配；這，各盡所能，各取所需——贊成，反對——那還不能就算是人類最高的，最愛的，最藝術的行爲——啊！還有許多，許多，隔岸觀火的虫豸呵　不只四萬萬，十六萬萬，無數萬萬，男女們，將來，將來，閃電似的顫動，兒女們，閃電顫動似的兒女們——空氣，都——力！力！質點，運動！運動！——

216　　　　　　　　　　　　　　　　　風　火　山

原始，一切，分不開，一切，一切　　交戰，自然，人生　崩潰過去，歌誦現在，彈奏，彈奏，和平。全人格，未來，未來！——呵呀呀！看！這一小片呵！無限生命力在死城中燃燒。——這一片，那，野蠻，文明，中國，沙漠，大森林，原姑共產，帝國主義——全歷史的痕跡。——他們，我們，單調，繁變，根源，我們，呵！是我們握住洪流的中心！——呵！無窮無窮的透視，萬倍萬倍的立體！是力！是力！全力！全力！全宇宙的生命力！——

（他們神異著她的表現，都迷離在那幅畫前。待她再說，她停住了。）

　　　女三　歌舞起來呵！歌舞起來呵！

（大家散開）

風吹情愛種，

飄落紅海中，

水鳥一啄浪頭遠岸飛，

荒島紅花紅。

心空空，

走進人叢；

人叢，

血江路，

多少男兒情愛似餓虎，

餓虎都向她進攻，進攻，

她心空不動。——

呵呵！藝術呵一陣春風！

荒島飛囘情愛種！

（默舞一會。突然兩脚尖站住，兩臂張開若翅膀，眼似海空烏鴉
向水面食物地看着那蝴蝶。——）

女三　吠喲——

（舞動）

你陽光，你透過了多少多少三稜鏡的色彩，

你融在心裏，熬在生裏，流從血空來——

你惡魔，你上帝，

你丈夫，你聖賢——

偉大是‘最後的裁判’，

這比那更深，更血，更自然！

看呵，傷痍的毒魔不問天，

女兒已不似聖母般的瑟縮，

寃有頭，債有主，

218　　　　　　　　　　　　　　　　鳳　火　山

橫江一隻生命船擺渡！

洪流腥，

是藝術，

洪流苦，

又通過藝術；

甚麼是中流抵柱？

人類的骨肉！

甚麼是洪流？

生活與死滅交手。

五十萬年的來歷呵，

一瞬間錯過，

全人生沒落！

兄弟姐妹們，

這裏並非枉死城——

有詩人流亡鄉村，

男兒奔疆場爲天下可憐人拼命，

煽動火力是我們，

大畫家上敵樓寫生！

畫家　啊！你煽動火力的的煽動火力的，

你啓示，你啓示，

我今更認識——

這裏是，這裏是

新生的，新生的

最高文化策源地！

一切歐亞過去文化算得甚麼呢？

算不得甚麼！算不得，算不得！

火力呵，火力！

火力在這裏，火力！

這裏，火力發動飛遍世界去！

火力！火力！

飛遍世界的火力呵——

火力！

火力！

你煽動火力的的煽動火力的

我們將同歸一盡———

不盡的，不盡的，

220　　　　　　　　　　　　　　　　　　　火　山

火力呵！火力！

　　　女王　恐怖，飢餓，死亡，
我們將同歸一盡；
永不能燬滅，
大藝術的精神！
大藝術從何處生？
恐怖的人類，
飢餓的人類，
死亡的人類——
鐵血火是大藝術的母親！

殺盡奴才們，
愛盡奴才們，
奴才們也去拚命。

啊啊！太平洋邊的豬兒呵，
　　又一世界大戰好犧牲。
世界勞動者本是兄弟，
我們正與帝國主義去死拚，

這是好時機，

歐美勞動者該乘機革命！

打來幾個電報眞無聊，

分明正好分一點殘湯膩水，

　　　　一點點利潤。

呵呵！民族的鬼影！

　　　　首領的瞎吹！

我在這城頭飛告你們——

勞動階級的國際呵，

我們要是勞動革命的先鋒隊，

你首領們正在大餐棹上空談論？——

吃喝拉撒睡，放屁——

只要勞動政權能穩定，

誰肯上台可以下台也可以？

誰肯今天執政明天做工人？

過去已證明——

　　小資產集團決不能代表無產階級的革命。

　　何況本身不肯去勞動，

　　只爭做大小頭領！

呵呵……

222 風 火 山

爭生存，爭生存，

人類要生存。

同苦人連合，

勞動的，勞動的，

抱科學與藝術往明日超生！

（突然靜着側耳聽）

（突然連指導舞着大刀歐過來。

　　連指導　在中國，在中國，

發現二萬年前便有鐵器又算得甚麼！

印度，希臘，埃及……

帝國主義殖民地，

讚美着文明，野蠻，原始，

無飯吃，都無意義。

我們困在新舊帝國主義重圍中，

說不定，都死在奴才手裏，

拚！拚！我們拚！

沒有大理由，

只為人類要活命！

阿阿……

狗啃着骨頭，

狗肯拋丟？

不知水長流，

橋上狗見橋下狗——

旺！

旺貪婪，爭求！

資本家吃着人肉！

那演進的定律這麼說：

人誰都有可能變成狗！

你苦，你被利用的美名，

殺氣中，那能永遠持續着同情的良心，

也許不久我去見了我情人，

我會忘記兄弟姐妹們，

便不忘記也會淡漠吧，

革命戰士歸來了，瞎吹，

縱不瞎吹有何益！

藝術心腸？科學脾氣？

唉，有何益？有何益？

我們要實際不要空虛！

看那個會把泥土造燒餅，

　那個能把石頭造機器，

沒有別的！沒有別的！

因此我——

（驟然凝視刀鋒不發聲。）

咳——

血舌舔着生與死，

完結今生，

小子們創造來世，

因此我

（又凝視刀鋒不發聲。）

大夫丈敢上殺場，

為甚不敢下工廠，下田莊；

不願再做奴隸嗎？

你曾罵過人——你罵：

"啊！看你那小資產階級的模樣！

深山有雜鐵，

你要純鋼嗎？——

你愛個北歐的姑娘，

他愛個南非的姑娘，

你們兒女貌怎樣？

呸！自己不接近勞助，

　　也不是個勞助者，勞動兵，

　　那來有無產階級的心腸！

（這時，烏鴉似幾條河流的，嘎嘎嘎……從野天飛歸城裏。人靜默。望空。女兒臉透夕陽紅。）

　大魚吃小魚，

　小魚吃蝦子，

　蝦子吃泥鰍，

　泥鰍吃泥巴，

　呵

　年年戰士頭上一羣餓老檨（鴉）

　嘎？——嘎？——

　天下更沒奈何，

　更天下老檨更多；

　願人間，多有拜掃節，

　原來烏江夾，

　是牠們叫小兒項王拔劍！

226 　　　　　　　　　　　　　　鳳　火　山

劊子手，劊子手，

劊子手比殺鷄好漢更可羞！

刺客，刺客，

　　可鄙的恩仇！

暗殺呵暗殺

小的武器理想家！

行刺列寧者，

忘記勞動堦級，

忘記人類了！

暴殺其他眞眞革命者的黨徒嗎，

忘記革命，也忘記人類了！

在冷血者的眼裏——

我們是

　　少年騎竹馬，

　　優子變戲法。

在我們的眼裏——

這樣的中國，

那樣的俄羅斯，

思想正確的程度雖有大差異，

中山列寧都是仁心仁術家，

風　火　山　　　　　　　　　　　　　　227

他們同一樣偉大。
在我們的眼睛裏——
戰士的藝術家，科學家，勞動者，
這比一切都偉大！
也在我們的眼裏呀——
這樣的世界，這樣的中國，
凡有真實戰士都偉大——
偉大，偉大，
偉大的燒餅，
偉大的饅頭，
偉大的白米饅饅呵——

　從這城牆下，打一個無限長的鑽洞，
　我鑽到上海，紐約，倫敦的富翁家，
　我出來，乘他姑娘正好作美夢，
　但是我行動的響聲把她驚醒了——
　"你動?!你動?!"
我手指戰刀，
商埠都會多綁票，
'你動?!這種意味他們都知道——

"呵！你嫩露露，滑溜溜，

　像尾小魚兒，小托子的姑娘，

　你先給我一塊麵包一碗湯！

　你怕我？怕餓鬼的模樣？

　我只稍稍吃喝一點兒，

　又在你床上躺躺，

啊！我年富力強，

　你看看，我這麼雄壯！"

她是嚇炸了，

她想叫，叫不出，

她遇見惡魔的祖先了。

我不知是接吻呢還是甚麼——

突然間，她鬼喊鬼叫，

我才明白了——

啊！她胸膛，

　血汪汪，

我，我已吃了她一對乳房！

呵！我已吃了她一對乳房！

提刀歸來，提刀歸來，

餓鬼的天下呀！

餓鬼的天下呀！

幾家人大富，

不如全世界小康，

全世界大富————

我錯了————

我何嘗錯？

我可憐，我親愛，我高貴而平凡的姑娘，

我魯莽，我不敢，我何嘗不敢

　　求你的過後原諒———

你要我自殺，要我投監？

唉！我一生爲你，爲人類發明，

　　我一生，爲你爲人類歌唱！

你我無罪，

罪在人生；

人生也無罪，

當虎口的倒霉；

你當餓虎口，

你總以爲平安歌舞高樓必無憂。

你看——

　　大軍圍困，

　　我歌舞城頭，

呵！一顆子彈'砰'　　'與友～～～

嘣——噠噓噓噓噓……

叫撒手，叫罷休，

不甘撒手，不甘罷休，

死，死，

死也是

力動流！

力何時

也動流！

生不能夠想像多少年，

帶着全世界疾走，

疾走！疾走！

我們是那火車頭！

新發現一顆大星，

我叫牠做小生命，

　　牠一次光落地球，

　　　　要在三百年以後；

　　大生命，大生命是全宇宙。

　　牠無邊的狂洋呵，

　　我突飛的人流！

　　孫悟空從八卦爐中跳出來，

　　他在一隻手上翻觔斗，

　　十萬八千里，

　　螞蟻比地球；

　　那手大比地球吧，

　　呵！地球比宇宙，

　　　　地球也在翻觔斗。

　　我們是——

　　　　孫悟空，

　　　　也是那隻手，

　　　　也是地球，

　　　　也是宇宙，

　　　　手！我們手！

　　　　伸出我們手！

　　　　（大家不知不覺尾着他的旋律動）

232　　　　　　　　　　　　　　　　　　　　　火　山

抓住！抓住！

抓住此宇宙的中心！

有如，有如大音樂家拿住一抱多弦琴，

奏！奏！

奏出我，奏出你

奏呵！奏呵！

奏出全人類全宇宙的聲音！

生命！生命！

一切在振動！

　　在交鳴，

　　在響應，

奏，奏到人類滅亡時，

猛使一股勁，

塌啦啦啦啦啦………

塌啦啦啦啦啦………

　　粉碎，

　　紛飛，

　　粉碎，

　　紛飛，

　　漫空舞動血洋水；

呵呵！末日！

末日到了人類才共流瀧一天同情淚！

但我們，那時候沒有同情沒有同情了！

人類已經同歸一盡何必要同情！

我們我們呵！

只當人類還生存，

我們才高興為人類拚命。——

生不能相愛，

爭地盤，爭飯碗；

生不能相親，

彼此陷害！

走上黑水洋，

才知希望與絕望——

死生一線連，

兩色一波浪。

大殘酷交時代衡量吧，

小恨一點——一點無短長——

呵！那我都失悔，

　　從前不曾好好愛母親！

　　我很失悔，

234 　　　　　　　　　　　　　　　風　火　山

你——

（悲沈而慈和地看女三——）

唉！你不見怪吧？

愛人！我人類的愛人！

（女三被激地不能自制——）

　　女三　你！爲甚你要拒絕我愛情？

我忍，我早忍過了！

兒女們多不敢在大眾前表白真心——

恐怖呵！離別呵！死呵！歌聲呵！

這些叫我在大眾前向你質問。

我知你有愛侶，有情人，

我妨害了他們嗎？

我不佔有你，

也如你不佔有着她們。

你是宇宙？

君！情的鐵手！——

宇宙有中心？

鐵手抓住你中心，

鐵手彈奏，我鐵手彈奏！——

你不天高海深地愛我嗎？

你問你手執的鋼刀呵！

為人類也為愛情，

為愛情也為人類；

為人類革命，

革命中愛情，

愛情中革命。

要持籍革命的火力呵，

　　必要的是抓緊全人生；

一條兩塊肉，

決不是人生的全景。

可憐人雖豐苦悶，

勞動者不少兒孫；

我敢在這九死一生的城頭上宣示愛情，

愛情！愛情！

有創造的愛情，

　　健全的兩性，

百年內，世界革命不成功也不要緊！

啊！男子們！

　　別為那各色的面紗遮住你眼睛，

男子手淫嗎？

236　　　　　　　　　　　　　　　風　火　山

女子也許更手淫；

打倒手淫！

用健全的兩性打倒手淫！

用健全的兩性使人類激進！

我愛你，你愛我，

愛呵！愛呵！

那怕一秒鐘後誰變心！

　　　連指導　我行踪奇離，

我沒有一行正確的手藝，

愛我的，愛我的呵都不幸！

我曾姑負了許多少女！

我，我不願再有一個人爲我不幸。

天！我拒絕愛情？——

　　　女一　愛情不得愛情人接受，

那才是愛情的不幸——

　　　女三　誰管牠幸與不幸。

你心不是這麼簡單呵，

還有甚隱情？

請你宣告給我們！

　　　（連指導沈思着）

風　火　山　　　　　　　　237

　　　乓С　人走桃花運 —
四更天才送出幾個胡狸精，
沒睡成，又有一位仙女來敲門。

我盜公主墳，
打開棺兒她正乖乖睡，
我就在她嘴上親一親，
我用我的頭顱作保證
"我愛你!公主!
我愛你!公主!
醒來吧!公主!
只要我走桃花運，
隨時要我頭顱都能成!"
啊!我將她喊醒，
啊!她!一個舌頭伸出來有三尺多的妖精!

只要是女人，
不嫌吊死鬼，
那怕遇妖精，
我是隻飛馬，

238　　　　　　　　　　　　　　　　風　火　山

我要請她騎着我濫逛天下。

唉！我的公主在那兒？
　　四兩白乾酒，
　　一碟油炸麻花豆。
　　好先生！好先生！
　　都是龍華會上人，
　　點點頭吧——點點頭！
（他們都笑了）
　　　　兵Ⅱ　好先生！好先生！
都是龍華會上人，
點點頭吧——點點頭！
（連指導剛要開腔，女三口快先開了）
　　　　女三　風吹情愛種，
飄落紅海中，
水鳥一啄浪頭遠岸飛，
荒島紅花紅。

濫船擱淺，
舟子喊天。

正是花果紅，

　一陣春風，

　吹飛情愛種。——

（連指導察接她落拍，吐露真情。）

　　　連指導　　聽呵：有一個女人她曾為我守過

兩年貞，

　又有個女人她為我亡命，

　我來投奔這裏戰鬥的那月，

咳，有一個飄泊的女兒，

　她正為我懷孕！

戰爭，戰爭隔絕了各方的音信，

　如今生死都不知——

　你美麗的，多情的，

　我愛你，我讚美你！

　我敢指着鋼刀說！——

　你是海，海呀，

　我是天，

　天海相連——

　　大雾朦，

　　日月遠，

(4)　　　　　　　　　　　　　　　火　山

兩心眼也一片！

大霧去，

日月現，

我心底有海外海，

你浪下有天外天。

海呵！天心海！

我忍耐，我是忍耐呀，

我不只對苦傷忍耐，

　　歡樂也忍耐。

我遠方的懷人，

並不怨天奔大海；

假使我遠方的懷人同住，

那我可以當着懷人奔大海。——

一個大時代，

甚麽不能犧牲些？

有情人的悲哀和苦難，

背地裏，應該爭着分担！

咳

我們流落人，

最怕生小孩；

我們流落人，

要打胎也無錢打胎；

負了一身債，

　　去打胎，

　　打胎比生小孩更艱難！

節育器也要錢買呀，

看看勞動者的婦女多生產！

誰要他們節育嗎？

真是混賬王八蛋！

節育器也要錢買呀！

誰說有了小孩更費錢？

他媽的說話人，

怎不自己先割掉自己的睪丸？

呵！拚命！拚命！

總體不解決，且犧牲個人！

脚踏生死關，我們敢說：

我們真真是爲被壓迫的人類大戰！

因此我只願集中精力，

別人盡量發洩性慾嗎，

　　我視爲當然。

242   風 火 山

只要我，我們，

　集中精力握住這個大時代，

　別的且不管，

我們得手，

　我決不想伙着別人去做官；

　失敗？我要以大藝術的生產——

咳！我的愛！暴動是藝術！

　我們孩子的不幸呵！幸！——

我的愛，我又將以藝術的生產去代你生產。

但，殺出一條血路去，

我們中，那個有小孩，

交把我，我願背小孩，

　　　　且逃且戰！

一伙兄弟姐妹們，

共苦共甘共利害，

呵，要不是生死有這麼樣地脈脈相關，

怎能有這麼樣親蜜的連環！

兄弟們！我說的不錯嗎？

　　兵們　不錯！

風 火 山　　　　　　　　　　243

　　　連指導　爲鍛鍊弟兄們的精神，

最被壓迫的便是弟兄們的性，

我軍中女兒——太少了！太少了！

太少我也要問問：

爲甚麼，爲甚麼，

　　來革命的女同志就 從來沒有 一個愛上兵？

——

　　　兵Ⅰ　小白臉白吧！

　　　兵Ⅱ　雪花膏！

　　　兵Ⅲ　香水！

　　　兵Ⅳ　原來是官長呀！

（女子們極難堪地羞著怔着了。）

　　　連指導　我最親愛的！

因此我便禁止我獨親近你！

親近本不是罪過，

這般光景，我獨自親近女人我何忍。

要我軍有幾個特殊的女性——

　　慈愛着，像大家的母親

　　熱心鼓舞着，似人類的情人——

啊，那末這創造的偉大呀！

244　　　　　　　　　　　　　　　風　火　山

我不以爲世間有神聖，

但我要讚美，

　這是眞神聖！

弟兄們，是不是？

　　兵們　是！

　　連指導　眞神聖？活神聖？

　　兵們　眞神聖！活神聖！

　　連指導　唉！沒有一個女兒敢

抱着弟兄們去一個接個吻，

我的嘴上長青苔，

要消滅我嘴上的青苔，

　只有弟兄們的嘴上一個得着一回愛！

　　女三　呵呵！你！

我要消滅你嘴上的青苔！

我要消滅你嘴上的青苔！

愛！一個愛，個個愛！

　女三跳上抱著他們一個接個吻，開初，兵們反羞紅躲避，但終被吻了；而且大家亂吻亂吻，亂跳，亂笑起來了。女一女二被怔着，而且有點視爲不當然，但也擠在一塊了，而且也一樣發瘋似的了。三年天大學以來的一陣猛雨呵！風呵！瘋狂的呵——連指導見他們瘋動，

風 火 山　　　　　　　　　　　　　　　245

大歡樂的歌舞起來，一面似爲她們打節奏。）

　　　　連指導　新生，新生，新生，

　　我們的新生，

　　人類的新生呵！

愛，愛人，愛人－－

　　我們的，人類的愛人呵！

‥‥‥‥‥‥‥‥‥‥‥‥‥‥‥‥

　　你羞愧，你快要落山的太陽，

　　我們－－－你週圍的行星，

　　你，我們底偉大的女人。

　　我們，更大的太陽，

　　太陽，你，我們週圍－－點星。

呵呵

呵呵

一個太陽週有多少多少的星星異性！

也不是男性中心，

也不是女性中心，

愛呵！愛呵！

任一人　－最高山頂，

她週圍都有－－－

246　　　　　　　　　　　　　　鳳　火　山

　　　　雲南的猫猺龍苗，

　　歐洲的舞女，

　　非洲的土人。

愛呵！愛呵！

愛愛愛是最初也是最後呵！

打破！打破這兩重枷鎖！

經濟底的，兩性底的，

愛呵───

打破───

生如歌，

愛如歌，

赤裸裸，赤裸裸──

時代女兒抱着一個大熔爐，

生歌愛歌，

熔化了人類的一切生活。──

接吻！接吻呀！

吮吮──

兵呵！兵呵！

好個猪八戒吃人參果！

你，呵！大畫家接吻，

風 火 山　　　　　　　　　　　　　　　247

　　　　小尼姑開葷――

　　　大家　吠吠吠――

猪八戒吃人參果！

大畫家接吻！

小尼姑開葷！

　　　連指導　哈哈哈――

不是貴小姐，

全人類敬愛的女人！

不是幽魂，

開山的人生！

　　　大家　不是貴小姐，

全人類敬愛的女人！

不是幽魂，

開山的人生！

　　　連指導　大兵，

大畫家，

大詩人，

大大大的女兒愛人啊！

（狂笑）

　　　大家　大兵，

　　大畫家，

　　大詩人，

　　大大大的女兒愛人呵！

（狂笑）

　　　　連指導　狂風！

　　狂風！

　　狂風你

　　怎麼不起來奏勁！

　　　　大家　狂風！

　　狂風！

　　狂風你

　　怎麼不起來奏勁！

　　　　連指導　中國幾個音樂師，

那市儈，那買辦的樣子；

中國幾個文士，

狗矢堆裏揀得糖豆吃！

（狂笑）

　　　　大家　買辦的樣子，

狗矢堆裏揀得糖豆吃！

　　　　連指導　狂風起！

狂風起！

我們是狂風——

狂風起！

狂風起！

　　　大家　狂風起！

狂風起！

我們是狂風——

狂風起！

狂風起！

　　　連指導　只要有了悲多汶，

可以沒有釋迦牟尼渡衆生——

沒有風海，

不成世界；

沒有大樂，

天國誰進！

一塊麵包救人命，

人命總喚不來悲多汶——

呵！音樂的大星，

　生命的生命——

呵！一滴血漿中。

　　　音樂跳動，

　　　重圍百敗更猛勇──

呵！音樂跳動，

　　　一滴血漿中，

　　　花開比過夕陽紅──

呵！你夕陽，

　　　血蓬蓬，

　　　你等着音樂送葬？──

吠吠吠──

接吻呵！

　　　大家　接吻呵！

　　　連指導　我們就是大樂！

我們就是風！

接吻呵！

歌呵！舞呵──

（狂烈中，女三跳着向連指導前來，抱着一吻約十秒鐘，大家拍掌歡呼，突然他將女三高舉着舞動。──左邊過來兩排兵，營長和兩個排長，六七個苦力，他們扛着，背着幾箱子彈，手溜彈，綁腿，麻索等，狂浪突然靜默了。）

　　　營長　你們好歡樂！看──這一帶的百姓

都住看你們—— 敵人的炮彈有眼睛，你們敢這麼開心地鬧。一種意外的效果倒很好，可以使老百姓相信我們有膽量，有辦法—— 我是讚美這種死城頭上歡樂的，可要謹慎！成不成就在今晚！

連指導　殺人的傢伙都預備好了？

營長　只有湯鍋不曾預備。他們有雲梯，我們再都助索子，多懇懇，三個弟兄招扶他們的一個，叫他們吃了廠黑桃說不出話來。假使他們察覺我們幹冤枉，那末這些子彈就不愛惜了—— 我們準備衝出去！

兵C　我們要叫王連長先上來才相信他們。

營長　王連長會相機行事。你們最要機警又要穩得住！—— 殺起來，南門西門都要衝出去。你們趕快去吃飯，飯後，你們就練習今晚殺人的方法。

兵C　(隨口問剛來的兵) 你們都練習過了？

兵下　(剛來的) 都練習過了。

營長　都練習過了。你們換班吧。

兵們　(先前的) 肚子餓夠了——

　　　　　　肚子餓夠了——

（在這輕音中，兵們走動着。夕陽餘輝照天野，幕下。）

換場

幕開 ——

同一道城防。事隔前場五點來鐘。

天地黑暗，偶現一二星點。開幕後，毫無動靜好一會。——接着，二三兵士在輕輕走動。又一會，從左方過來一球似豬尿胞人的紅紙燈爐；燈爐停一停。——

提燈人　有點響動了，準備着歡迎！

（燈爐往右方過去不見了，靜默。靜默統治着一切約三分鐘。守城人最小聲的談話，但每字都可以聽得清楚。）

—— 聽—— 你聽 —— 好像來了

—— 那是風吹，草動，是麥葉響吧 ——

他們彷彿察覺城下已經有敵方的偵探。

—— 聽！不錯，來着了——

—— 像黑夜裏去偷那家的姑娘，（嘻嘻笑）

—— 別笑！給別一連的守兵，糾察隊聽見可了不得 ——

—— 把他們請進來，我們是首功，隨意槍殺姦淫後還要升官呢 ——

風　火　山　　　　　　　　　　253

　　　—— 不得點好處誰肯幹 ——

　　　—— 謀不成，我們可都活不了——

　　　—— 小心點　　叫糾察隊聽見了，糟糕

——

　　　—— 他們每晚都不會在這個時候來——

　　　—— 聽—　現在，真的，彷彿城下有人在

說話—

　　　—— 好像——

　靜聽着一會

　　　—— 呵　天變了，風—　好像——

　　　—— 不，還是風吹草動麥葉響——

　　　—— 他們動動又站着，他們還有點不放

心吧？　

　　　—— 只有我們不放心。那有他們不放心

的事，王連長不親自來，我們才真不放心他們呢——

　　　—— 別——　聽！城脚下　　呵，來的還不

少

　　　—— 現在，真來了，離城十丈二十丈——

一二里都是——

　　　—— 情報的！

254　　　　　　　　　　　　　風 火 山

　　——— 要他們多上來幾個才行

　　—— 越多越好——

　　——— 俄夠了，這回好好吃一台——

　　—— 他們自然會犒賞我們——

　　——— 別動！聽！好像，他們在搭起雲梯來

了——

　　（沈靜着聽）

　　——— 我可以高叫歡迎嗎，可惜

　　—— 還不聽見連長的聲音——

　　——— 王連長來我們才相信——

　　—— 王連長不來招呼一聲，我們信不過

——

　　——— 呵！是了吧　好像就是王連長

　　—— 他們上來一兩排，我幾個就先去搶

開城門——

　　——— 你想爭功？

　　—— 我們是褲帶上的虱子呵，

　　——— 一串，

　　——— 聽！小心些！別倒霉！

　　——— 雲梯，他們在搭雲梯——

風 火 山 255

（沈靜

—— 大批的人呢，有我們內應，何愁城不
破 —— 呵 ——

—— 別說話！是 ——呵！是了，王連長的
暗號 ——

—— （最小聲 別怕！別怕！（向爬城的說 王連
長呢？

（好像是連 指導走着悄悄告兵上：“預備着歡迎。不要出聲！
……”）

—— 有人上雲梯來了！王連長？

（王連長從雲梯上擡着堆口。他下喩，左邊，有兩個敵方軍官監
督着。）

王連長 沒有誰知道吧？

—— 沒有沒有 連長，你得上來指揮才好
幹，你 ——

王連長 不，我上來招呼一聲我就下去的
——

—— 為甚麼？

王連長 不要問！

—— 連長不上來，甚麼都不好幹！

王連長　等大功告成，我從城門進來吧

—— 各處都防守得很緊，你不來不成！

王連長　不，我不進來！快把索子吊下幾根來！你們成功！我下去了.

—— 唉！他們不相信嗎！

在王連長傍的一個軍長：　你上去指揮好，就上去吧！

王連長　不，我不上去，你們上去指揮吧

—— 快！遲了關亂子呢！

軍官　王連長你上！

王連長　讓我下去

軍官　我們相信你了。官話是那麼說，司令在，也一定會相信你的了！快！

王連長　那末將來司令有甚麼話說，你們得幫我的忙！

軍官　那一定！

王連長　好！雲梯不够，快吊下索子！……

（好一陣嗯嗯眇眇地聲音，偶有"別出聲，別出聲……" "要遮樓才行……" "沒有壞的"種種小聲的竊語。王人扒着一個敷方上來

風　火　山　　　　　　　　　　　　257

的兵或左或右地走去。約十來分鐘後，忽聽得有一人要掙脫，要喊叫，但被綑腿勒着口鼻喊不大出；這人力強，幾乎掙脫了，着了一砍刀才跌下城內——

　　突然有上城被綑的一人大叫：「有鬼！有鬼——中計了！——」

　　　　王連長　（大叫一聲）殺起來呵！

　　（一時殺聲四起，大砍刀，手溜彈，機關槍……連續動作。城上衝鋒號急奏。跟着那顛轉守城的部開火了。——

　　——　殺！殺！——殺呵——

　　——　追！追！——

　　（城下兵崩潰，逃走，開槍炮抵禦，但死傷太多，雖也喊叫着，「澎湃！……」——

　　——　殺！殺！

　　——　追！追！

　　——　殺蝗虫！

　　——　殺死狗！

　　——　兒子們！呢！

　　（時風起，閃電。

　　——　興友！興友……（打口哨）

　　　　王連長　殺！殺！唱着殺呀——

258　　　　　　　　　　　　　　　　　　　風火山

　　守兵　殺！……

與友！與友！打口哨）……

你們好漢子聽着：

我們爲一切被壓迫的民衆戰鬪！

你們爲誰戰鬥呀？爲誰戰鬪？

吠吠吠……

　不要爲那有錢人拚命！

　不要做軍閥的走狗！

　是好漢的掉轉槍頭呀！

　是好漢掉轉槍頭！

　可憐人全是好朋友 ——

　兔兒不吃窩邊草，

　快掉轉槍頭呀，

　掉轉槍頭就是好朋友！

　與友……

　與友　　與友……

爲一切被壓迫的民衆戰鬥呵！

兔兒不吃窩邊草，

與友——

與友……

風　火　山　　　　　　　　　　　　　　259

勿溜溜……勿溜……(彈舌唷)

溜溜溜溜溜……

……………………

(追擊中，風電中，殺喊炮火戰曲中落幕)